ERICH KÄSTNER

EMIL UND DIE DETEKTIVE

Bearbeitet von: H.E. Jensen, 1969

Revision: Stefan Freund, 1994, 1997

Christine Stief, 1997

Illustrationen: Jørgen Hedegaard

D1264615

GEKÜRZT UND VEREINFACHT
FÜR SCHULE UND SELBSTSTUDIUM

Diese Ausgabe, deren Wortschatz nur die gebräuchlich-
sten deutschen Wörter umfasst, wurde gekürzt und in der
Struktur vereinfacht und ist damit den Ansprüchen des
Deutschlernenden auf einer frühen Stufe angepasst.

Oehler: Grundwortschatz Deutsch (Ernst Klett Verlag)
und Das Zertifikat. Deutsch als Fremdsprache (Deutscher
Volkshochschul-Verband e.V., Bonn – Bad Godesberg und
Goethe-Institut zur Pflege der deutschen Sprache im
Ausland e.V., München), 2. neubearbeitete und erweiterte
Auflage 1977, wurden als Leitfaden benutzt.

**Dieses Werk folgt der
reformierten Rechtschreibung
und Zeichensetzung**

Umschlagentwurf: Mette Plesner

Easy Readers

EGMONT

Gedruckt in Dänemark

ERICH KÄSTNER
1899-1974

gehört wohl zu den bekanntesten Schriftstellern Deutschlands. Allgemein bekannt ist er als Verfasser von Romanen »für Kinder von 9-90 und darüber«, und das ist schade. In erster Linie ist er nämlich Moralist und Satiriker. Ganz besonders tritt dies in seinen Gedichten hervor, in denen er, oftmals in ungemein scharfer Form, aber nicht ohne Humor, all das bloßstellt, was Unrecht ist. Zwar hat er gesehen, wie wenig ein Verfasser mit solchen Mitteln erreichen kann. Denn: »Immer wieder kommen Staatsmänner mit großen Farbtöpfen des Wegs und erklären, sie seien die neuen Baumeister. Und immer wieder sind es nur die Anstreicher. Die Farben wechseln, und die Dummheit bleibt!«, schrieb er einmal. Und dennoch führte er seinen Kampf weiter gegen alles Unechte, gegen den Militarismus, gegen die Bürokratie.

WERKE:

Gedichtsammlungen: Herz auf Taille (1927); Gesang zwischen den Stühlen (1932); Doktor Erich Kästners lyrische Hausapotheke (1936).

Prosa: Emil und die Detektive (1928); Pünktchen und Anton (1931); Fabian (1931); Das fliegende Klassenzimmer (1933); Drei Männer im Schnee (1934); Die verschwundene Miniatur (1935); Der kleine Grenzverkehr (1949); Die Konferenz der Tiere (1949); Das doppelte Lottchen (1949); Als ich ein kleiner Junge war (1957); Notabene 45 (1961).

Emil hilft Köpfe waschen

»So«, sagte Frau Tischbein, »und nun bringe mir mal den *Krug* mit dem warmen Wasser nach!« Sie selber nahm die kleine, blaue Flasche mit der *flüssigen* Seife und spazierte aus der Küche in die Stube. Emil nahm
5 seinen Krug und lief hinter der Mutter her.

In der *Stube* saß eine Frau und hielt den Kopf über das weiße *Waschbecken*. Ihre Frisur war aufgebunden und hing wie drei Pfund Wolle nach unten. Emils Mutter *goss* die Kamillenseife in das blonde Haar und
10 begann, den fremden Kopf zu waschen.

»Ist es nicht zu heiß?«, fragte sie.

»Nein, es geht«, antwortete der Kopf.

»Ach, das ist ja Frau Bäckermeister Wirth! Guten Tag!«, sagte Emil.

15 »Du hast's gut, Emil. Du fährst nach Berlin, wie ich höre«, meinte der Kopf.

»Erst hatte er keine rechte Lust«, sagte die Mutter. »Aber wozu soll der Junge in den Ferien hier bleiben? Er kennt Berlin überhaupt noch nicht. Und meine
20 Schwester Martha hat uns schon immer mal *einladen* wollen. Ihr Mann *verdient* ganz gut. Er ist bei der Post. Ich kann nicht mitfahren. Vor den Feiertagen gibt's viel zu tun. Na, er ist ja groß genug. Außerdem holt ihn

---

der Krug, der Behälter für das Wasser
flüssig, nicht fest
die Stube, das Wohnzimmer
das Waschbecken, da, wo man sich wäscht
gießen, eine Flüssigkeit hineintun
einladen, als Gast zu sich bitten
verdienen, für Arbeit Geld bekommen

4

meine Mutter am Bahnhof Friedrichstraße ab. Sie treffen sich am Blumenkiosk«.

»Berlin wird ihm sicher gefallen. Das ist was für Kinder. Da gibt es doch wirklich Straßen, die nachts genau so hell sind wie am Tage. Und die Autos!«

5

»Viele ausländische Wagen?«, fragte Emil.

»Woher soll ich denn das wissen?«, sagte Frau Wirth und musste *niesen*. Ihr war Seifenschaum in die Nase gekommen.

5 »Na, nun mach aber, dass du fertig wirst,« sagte die Mutter. »Deinen guten Anzug hab ich ins Schlafzimmer gelegt. Zieh ihn an, damit wir dann sofort essen können, wenn ich Frau Wirth frisiert habe.«

»Was für'n Hemd?«, erkundigte sich Emil.

10 »Liegt alles auf dem Bett. Und zieh die Strümpfe vorsichtig an. Und wasch dich erst. Und zieh dir neue *Schnürsenkel* in die Schuhe. *Dalli, dalli!*«

»Puh«, bemerkte Emil und *verschwand*.

Als Frau Wirth gegangen war, trat die Mutter ins
15 Schlafzimmer und sah, wie Emil unglücklich herumlief.

»Kannst du mir nicht sagen, wer die guten Anzüge erfunden hat?«

»Nein, tut mir leid. Aber warum willst du's wissen?«

»Gib mir die Adresse, und ich erschieße den *Kerl*.«

20 »Ach, hast du's schwer! Andere Kinder sind traurig, weil sie keinen guten Anzug haben. So hat jeder seine Sorgen ... Ehe ich's vergesse: heute Abend hängst du den Anzug ordentlich auf. Vorher wird er aber sauber-gemacht. Vergiss es nicht! Und morgen kannst du
25 schon wieder deinen Pullover anziehen. Sonst noch was? Der Koffer ist gepackt. Die Blumen für die Tante sind in Papier eingewickelt. Das Geld für Großmutter gebe ich dir nachher. Und nun wollen wir essen. Kom-

---

niesen, kurzes, heftiges Ausstoßen von Luft aus der Nase
der Schnürsenkel, das Schuhband
dalli, dalli, schnell
verschwinden, weggehen
der Kerl, der Mensch

6

men Sie, junger Mann!« Frau Tischbein legte den Arm um seine Schulter und transportierte ihn nach der Küche. Es gab Makkaroni mit Schinken. Emil *futterte wie ein Scheunendrescher*. Nur manchmal blickte er zur Mutter hinüber.

»Und schreib sofort eine Karte. Ich habe sie dir in den Koffer gelegt, gleich obenauf.«

»Wird gemacht«, sagte Emil.

»Grüß sie alle schön von mir. Und pass gut auf. In Berlin geht es anders zu als bei uns in Neustadt. Und *benimm dich anständig*.«

»Aber ja«, sagte Emil.

Nach dem Essen gingen beide in die Stube. Die Mutter holte einen Blechkasten aus dem Schrank und zählte Geld. Dann schüttelte sie den Kopf und zählte noch einmal. Dann fragte sie: »Wer war eigentlich gestern nachmittag da, hm?«

»Fräulein Thomas«, sagte er, »und Frau Homburg.«

»Ja. Aber es stimmt noch nicht.« Sie dachte nach, rechnete und meinte schließlich: »Es fehlen acht Mark.«

»Der Gasmann war heute früh hier.«

»Richtig, nun stimmt es leider.« Die Mutter holte drei Scheine aus dem Blechkasten. »So, Emil! Hier sind hundertvierzig Mark. Ein Hundertmarkschein und zwei Zwanzigmarkscheine. Hundertzwanzig Mark gibst du der Großmutter und sagst ihr, sie solle nicht böse sein, dass ich voriges Mal nichts *geschickt* hätte. Und gib ihr einen Kuss. Verstanden? Die zwanzig

---

wie ein Scheunendrescher futtern, sehr viel essen
sich anständig benehmen, brav sein
schicken, senden

7

Mark, die übrig bleiben, behältst du. Davon kaufst du dir die Fahrkarte, wenn du wieder heimfährst. Das macht ungefähr zehn Mark. Genau weiß ich's nicht. Und von dem Rest bezahlst du, was du isst und trinkst,
5 wenn ihr ausgeht. Außerdem ist es immer gut, wenn man ein paar Mark in der Tasche hat. Ja. Und hier ist ein Kuvert. Da stecke ich das Geld hinein. Pass mir ja gut auf, dass du es nicht verlierst; wo willst du es hintun?«

10 Sie legte die drei Scheine in den Briefumschlag und gab ihn Emil.

Der schob ihn in die rechte innere Tasche, tief hinunter und sagte überzeugt: »So, da *klettert* er nicht heraus.«

15 »Und erzähle keinem Menschen im *Kupee*, dass du so viel Geld bei dir hast!«

»Aber Muttchen!« Dann trug sie den Blechkasten wieder zum Schrank.

Manche von euch werden sicher der Ansicht sein,
20 man brauche sich wegen hundertvierzig Mark wahrhaftig nicht so gründlich zu unterhalten wie Frau Tischbein mit ihrem Jungen. Aber falls ihr es nicht wissen solltet: Für sehr viele Menschen sind hundert Mark fast so viel wie eine Million.

25 Emil hatte keinen Vater mehr. Doch seine Mutter hatte zu tun, frisierte in ihrer Stube, wusch blonde Köpfe und braune Köpfe und arbeitete, damit sie zu essen hatten und die Gasrechnung, die Kohlen, die *Miete*, die Kleidung, die Bücher und das Schulgeld
30 bezahlen konnten. Nur manchmal war sie krank und

klettern, steigen
das Kupee, das Abteil
die Miete, die Bezahlung für die Wohnung

lag zu Bett. Der Doktor kam und verschrieb Medikamente. Und Emil kochte in der Küche für sie und sich. Und wenn sie schlief, *wischte* er sogar die Fußböden, damit sie nicht sagen sollte: »Ich muss aufstehen. Die Wohnung *verkommt* ganz und gar.« 5

Könnt ihr es begreifen, und werdet ihr nicht lachen, wenn ich euch jetzt erzähle, dass Emil ein *Musterknabe* war? Seht, er hatte seine Mutter sehr lieb. Sie arbeitete, rechnete und arbeitete, und da wollte er nicht faul sein. 10

Emil war ein Musterknabe, aber keiner von der Sorte, die feig ist und nicht richtig jung. Er war ein Musterknabe, weil er es sein wollte. Er hatte sich dazu entschlossen, und oft fiel es ihm recht schwer.

Wenn er aber zu Ostern nach Hause kam und sagen 15 konnte: »Mutter, ich bin wieder der Beste!«, dann war er sehr zufrieden. Er liebte das Lob, das er in der Schule und überall erhielt, weil es seiner Mutter Freude machte. Er war stolz darauf, dass er ihr ein bisschen zurückzahlen konnte, was sie für ihn, ohne müde zu 20 werden, tat ...

»Hoppla«, rief die Mutter, »wir müssen zum Bahnhof. Es ist schon Viertel nach eins. Und der Zug geht kurz vor zwei Uhr.«

»Also los, Frau Tischbein!«, sagte Emil zu seiner 25 Mutter, »aber, dass Sie es nur wissen, den Koffer trage ich selber!«

Vor dem Hause sagte die Mutter: »Falls die Pferdebahn kommt, fahren wir bis zum Bahnhof.«

Wer von euch weiß, wie eine Pferdebahn aussieht? 30

wischen, waschen
verkommen, kaputt gehen
der Musterknabe, der vorbildliche Junge

Aber da sie gerade um die Ecke biegt und hält, weil Emil *winkt*, will ich sie euch rasch beschreiben.

Also, die Pferdebahn läuft auf *Schienen*, wie eine richtige Straßenbahn und hat auch ähnliche Wagen, 5 aber es ist eben doch nur ein Pferd davor. Emil und seine Freunde fantasierten von elektrischen Bahnen, aber der Magistrat von Neustadt fand die Pferdebahn gut genug. Bis jetzt konnte also von Elektrizität gar keine Rede sein, und der Wagenführer hielt also in der linken 10 Hand die *Zügel* und in der rechten die *Peitsche*. Hü, hott!

Und wenn jemand in der Rathausstraße 12 wohnte, und er saß in der Pferdebahn und wollte aussteigen, so klopfte er ganz einfach an die Fensterscheibe. Dann machte der Herr Schaffner »Brr!«, und der Fahrgast 15 war zu Hause. Die richtige Haltestelle war vielleicht erst vor der Hausnummer 30 oder 46. Aber das war der Neustädter Straßenbahn ganz egal. Sie hatte Zeit. Das Pferd hatte Zeit. Der Schaffner hatte Zeit. Die Neustädter hatten Zeit. Und wenn es wirklich einmal 20 jemand besonders eilig hatte, ging er zu Fuß ...

Auf dem Bahnhofsplatz stiegen Frau Tischbein und Sohn aus.

Dann kaufte die Mutter am Schalter die Fahrkarte und eine *Bahnsteig*karte. Und dann gingen sie auf den 25 Bahnsteig 1 - bitte sehr, Neustadt hat vier Bahnsteige - und warteten auf den Zug nach Berlin. Es fehlten nur noch ein paar Minuten.

winken, mit der Hand ein Zeichen geben
die Schiene, das Eisenband, auf dem die Straßenbahn fährt
der Zügel, die Leine, mit der man das Pferd lenkt
die Peitsche, mit der Peitsche treibt man das Pferd an
der Bahnsteig, da, wo der Zug hält

»Lass nichts liegen, mein Junge! Und setzt dich nicht auf die Blumen! Du kommst um 18.17 Uhr in Berlin an. Am Bahnhof Friedrichstraße. Steige ja nicht vorher aus, etwa am Bahnhof Zoo!«

»Nur keine Bange, junge Frau.« 5

»Und sei zu den anderen Leuten nicht so frech wie zu deiner Mutter. Und wirf das Papier nicht auf den Fußboden, wenn du deine Wurstbrote isst. Und - verliere das Geld nicht!«

Emil fasste sich *entsetzt* an die Jacke und in die rech- 10 te Brusttasche und meinte dann erleichtert: »Alles in Ordnung.«

Er fasste die Mutter am Arm und spazierte mit ihr auf dem Bahnsteig hin und her.

»Und arbeite nicht zu viel, Muttchen! Und werde ja 15 nicht krank. Und schreib mir auch einmal. Und ich bleibe höchstens eine Woche, dass du's weißt.« Er drückte die Mutter fest an sich. Und sie gab ihm einen Kuss auf die Nase.

Dann kam der Personenzug nach Berlin. Emil fiel 20 der Mutter noch ein bisschen um den Hals. Dann kletterte er mit seinem Koffer in ein Abteil. Die Mutter reichte ihm die Blumen und die Wurstbrote nach und fragte, ob er Platz hätte. Er *nickte*.

»Also, Friedrichstraße aussteigen!« 25

Er nickte.

»Und die Großmutter wartet am Blumenkiosk.«

Er nickte.

»Und benimm dich, du *Schurke*!«

Er nickte. 30

entsetzt, bange
nicken, ja sagen
der Schurke, ein schlechter Mensch, hier: der freche Junge

11

»Und sei nett zu Pony Hütchen. Ihr werdet euch gar nicht mehr kennen.«

Er nickte.

»Und schreib mir.«

5 »Du mir auch.«

So wäre es wahrscheinlich noch stundenlang fortgegangen, wenn es nicht den Eisenbahnfahrplan gegeben hätte. Der Zugführer rief: »Alles einsteigen! Alles einsteigen!« Die Wagentüren klappten zu. Die Lokomo-
10 tive *ruckte an*. Und fort ging's.

Die Mutter winkte noch lange mit dem Taschentuch. Dann drehte sie sich langsam um und ging nach Hause. Und weil sie das Taschentuch sowieso schon in der Hand hielt, weinte sie noch ein bisschen.

15 Aber nicht lange. Denn zu Hause wartete schon Frau Fleischermeister Augustin und wollte gründlich den Kopf gewaschen haben.

---

anrucken, abfahren

13

— Die Reise nach Berlin kann losgehen —

Emil nahm seine Schülermütze ab und sagte: »Guten Tag, meine Herrschaften. Ist vielleicht noch ein Plätzchen frei?«

Natürlich war noch ein Platz frei. Und eine dicke
5 Dame, die sich den linken Schuh ausgezogen hatte, weil er drückte, sagte zu ihrem Nachbarn, einem Mann: »Solche höflichen Kinder sind heutzutage selten. Wenn ich da an meine Jugend zurückdenke. Gott! Da herrschte ein anderer Ton.«

10 Dass es Leute gibt, die immer sagen: Gott, früher war alles besser, das wusste Emil längst. Und er hörte überhaupt nicht mehr hin, wenn jemand erklärte, früher sei die Luft gesünder gewesen, oder die Kühe hätten größere Köpfe gehabt, denn das war meistens nicht
15 wahr, und die Leute gehörten bloß zu der Sorte, die nicht zufrieden sein wollen, weil sie sonst zufrieden wären.

Er befühlte seine rechte Jackentasche und war erst beruhigt, als er das Kuvert *knistern* hörte. Die Mitrei-
20 senden sahen auch nicht gerade wie Diebe und Mörder aus. Neben dem Mann und der dicken Frau saß eine andere Frau. Und am Fenster, neben Emil, las ein Herr im *steifen Hut* die Zeitung.

Plötzlich legte er die Zeitung weg, holte aus seiner
25 Tasche ein Stück Schokolade und sagte: »Na, junger Mann, wie wär's?«

»Gerne«, antwortete Emil und nahm die Schokolade. Dann nahm er schnell seine Mütze ab und sagte:

---

knistern, Papier knistert, wenn man es berührt
der steife Hut, Hut aus festem Material

14

»Emil Tischbein ist mein Name. Aus Neustadt.« Die Mitreisenden *lächelten*. Der Herr nahm nun auch ernst den steifen Hut ab und sagte: »Sehr angenehm, ich heiße Grundeis.«

Dann fragte die dicke Dame, die den linken Schuh ausgezogen hatte: »Lebt denn in Neustadt der Herr Kurzhals noch?«

»Ja, freilich lebt Herr Kurzhals noch«, sagte Emil, »kennen Sie ihn?«

»Ja, grüß ihn schön von Frau Jakob aus Groß-Grünau.«

»Ich fahre doch aber nach Berlin.«

»Das hat ja auch Zeit, bis du zurückkommst,« sagte Frau Jakob.

»So, so, nach Berlin fährst du?«, fragte Herr Grundeis.

»Jawohl, und meine Großmutter wartet am Bahnhof Friedrichstraße am Blumenkiosk«, antwortete Emil und fasste sich wieder ans Jackett. Und das Kuvert knisterte, Gott sei Dank, noch immer.

»Kennst du Berlin schon?«

»Nein.«

»Na, da wirst du aber staunen! In Berlin gibt es jetzt Häuser, die sind hundert Stockwerke hoch, und die Dächer hat man am Himmel festbinden müssen, damit sie nicht wegfliegen … Und wenn es jemand besonders eilig hat und er will in ein anderes Stadtviertel, so packt man ihn auf dem Postamt in eine Kiste und schießt sie wie einen *Rohrpost*brief zu dem Postamt, das in dem Viertel liegt, wo er hin möchte… Und wenn man kein Geld hat, geht man auf die Bank und lässt

---

lächeln, leise lachen
die Rohrpost, die Postsendung, die durch ein Rohr geschickt wird

sein *Gehirn* als Pfand dort und *kriegt* dafür tausend Mark. Der Mensch kann nämlich nur zwei Tage ohne Gehirn leben; und er kriegt es von der Bank erst wieder, wenn er zwölfhundert Mark zurückzahlt ...«

5 »Sie haben wohl Ihr Gehirn auch gerade auf der Bank«, sagte der Mann neben der Frau Jakob zu dem Herrn im steifen Hut und fügte hinzu: »Lassen Sie doch den Unsinn!«

Emil lachte gezwungen. Und die beiden Herren
10 redeten eine Zeit lang recht unhöflich miteinander. Emil dachte: Was geht das mich an! Und er packte seine Wurstbrote aus, obwohl er eben erst Mittag gegessen hatte. Wenig später hielt der Zug auf einem großen Bahnhof. Emil sah kein Stationsschild, und er ver-
15 stand auch nicht, was der vor dem Fenster rief. Fast alle Fahrgäste stiegen aus, nur der Mann im steifen Hut blieb.

»Also grüße Herrn Kurzhals schön«, sagte Frau Jakob noch. Emil nickte.
20 Und dann waren er und der Herr mit dem steifen Hut allein. Das gefiel Emil nicht sehr. Ein Mann, der Schokolade verteilt und verrückte Geschichten erzählt, *ist nichts Genaues*. Emil wollte wieder nach dem Kuvert fassen. Er wagte es aber nicht, sondern
25 ging, als der Zug weiterfuhr, auf die Toilette, holte dort das Kuvert aus der Tasche, zählte das Geld - es stimmte immer noch - und war ratlos, was er machen sollte. Endlich kam ihm ein Gedanke. Er nahm eine Nadel, die er im Jackett fand, steckte sie erst durch die drei

das Gehirn, das Denkorgan im Inneren des Kopfes (der Verstand)
kriegen, bekommen
nichts Genaues sein, verdächtig sein

16

Scheine, dann durch das Kuvert und schließlich durch das *Anzugfutter*. So, dachte er, nun kann nichts passieren. Und dann ging er wieder ins Kupee.

Herr Grundeis hatte es sich in einer Ecke gemütlich gemacht und schlief. Emil war froh, dass er sich nicht zu unterhalten brauchte, und blickte durchs Fenster. Bäume, Windmühlen, Felder, Fabriken, Kühe, winkende Bauern zogen draußen vorbei. Und es war sehr hübsch anzusehen, wie sich alles vorüberdrehte, fast wie auf einer Grammofonplatte. Aber schließlich kann man nicht stundenlang durchs Fenster starren.

Herr Grundeis schlief weiter und *schnarchte* ein bisschen. Emil war in der anderen Ecke des Kupees und *betrachtete* den Schläfer. Warum der Mann nur immer den Hut aufbehielt? Und ein langes Gesicht hatte er, einen ganz dünnen, schwarzen Schnurrbart und hundert Falten um den Mund, und die Ohren waren sehr dünn und standen weit ab.

Wupp! Emil erschrak. Beinahe wäre er eingeschlafen. Das durfte er ja nicht. Wenn doch jemand zugestiegen wäre! Der Zug hielt ein paar Mal, aber es kam kein Mensch. Dabei war es erst vier Uhr, und Emil hatte noch über zwei Stunden zu fahren. Er *kniff* sich in die Beine. In der Schule half das immer in Herrn Bremsers Geschichtsstunden.

Eine Weile ging's. Und Emil dachte an Pony Hütchen. Aber er konnte sich gar nicht mehr ihr Gesicht vorstellen. Er wusste nur, dass sie - als sie und die

---

das Anzugfutter, der Stoff innen im Anzug
schnarchen, beim Schlafen laut atmen
betrachten, genau ansehen
kneifen, mit zwei Fingern drücken

17

Großmutter und Tante Martha in Neustadt gewesen waren – mit ihm hatte boxen wollen. Er hatte natürlich Nein gesagt, weil sie *Papiergewicht* war und er mindestens *Halbschwergewicht*. Das wäre unfair, hatte er 5 damals gesagt. Und wenn er ihr einen Uppercut geben würde, müsse man sie hinterher von der Wand *abkratzen*. Sie hatte aber erst Ruhe gegeben, als Tante Martha dazwischenkam.

Schwupp! Er fiel fast von der Bank. Schon wieder 10 eingeschlafen? Er kniff und kniff sich in die Beine. Und trotzdem wollte es nichts nützen.

Er versuchte es mit Knopfzählen. Er zählte von oben nach unten und dann noch einmal von unten nach oben.

15 Von oben nach unten waren es dreiundzwanzig Knöpfe. Und von unten nach oben vierundzwanzig. Emil lehnte sich zurück und *überlegte*, woran das wohl liegen könnte.

Und dabei schlief er ein.

Papiergewicht, bei Boxern etwa 45 kg
Halbschwergewicht, bei Boxern etwa 75 kg
abkratzen, abmachen
überlegen, nachdenken

— Emil steigt an der falschen Station aus —

Als er aufwachte, setzte sich die Bahn eben wieder in Bewegung. Er war, während er schlief, von der Bank gefallen, lag jetzt am Boden und war sehr erschrocken. Er wusste noch nicht recht, warum. Sein Herz klopfte
5 wie ein *Dampfhammer*. Da saß er nun in der Eisenbahn und hatte fast vergessen, wo er war. Dann fiel es ihm nach und nach wieder ein. Richtig, er fuhr nach Berlin. Und war eingeschlafen. Genau wie der Herr im steifen Hut ...

10 Emil fuhr hoch und flüsterte: »Er ist ja fort!« Die Knie *zitterten* ihm. Ganz langsam stand er auf und klopfte sich mechanisch den Anzug sauber. Jetzt war die nächste Frage: Ist das Geld noch da? Und vor dieser Frage hatte er eine große Angst.

15 Lange Zeit wagte er nicht, *sich zu rühren*. Dort drüben hatte der Mann, der Grundeis hieß, gesessen und geschlafen und geschnarcht. Und nun war er fort. Natürlich konnte alles in Ordnung sein. Denn eigentlich war es dumm, gleich ans Schlimmste zu denken.
20 Es mussten ja nun nicht gleich alle Menschen nach Berlin-Friedrichstraße fahren, nur weil er hinfuhr. Und das Geld war gewiss noch da. Erstens steckte es in der Tasche. Zweitens steckte es im Briefumschlag. Und drittens saß es mit einer Nadel am Futter fest. Also, er
25 griff sich langsam in die rechte innere Tasche.

Die Tasche war leer! Das Geld war fort!

---

der Dampfhammer, der mechanische Hammer
zittern, sich schnell hin und her bewegen
sich rühren, sich bewegen

20

Emil fuhr mit der linken Hand in der Tasche herum. Er befühlte und drückte die Jacke von außen mit der Rechten. Es blieb dabei: Die Tasche war leer, und das Geld war weg.

»Au!«, Emil zog die Hand aus der Tasche. Und nicht bloß die Hand, sondern auch die Nadel. Nichts als die Nadel war übrig geblieben. Und sie saß im linken Zeigefinger, dass er blutete.

Er wickelte das Taschentuch um den Zeigefinger und weinte. Natürlich nicht wegen des bisschen Bluts. Er weinte wegen des Geldes. Und er weinte wegen seiner Mutter. Wer das nicht versteht, dem ist nicht zu helfen. Emil wusste, wie seine Mutter monatelang gearbeitet hatte, um die hundertvierzig Mark für die Großmutter zu sparen und um ihn nach Berlin schicken zu können. Und kaum saß der Herr Sohn im Zug, so schlief er auch schon in einer Ecke ein und ließ sich von einem gemeinen Kerl das Geld stehlen. Und da sollte er nicht weinen? Was sollte er nun anfangen? In Berlin aussteigen und zur Großmutter sagen: Da bin ich. Aber Geld kriegst du keins, dass du es weißt. Gib mir lieber schnell das Reisegeld, damit ich wieder nach Neustadt fahren kann. Sonst muss ich laufen!

Prachtvoll war das! Die Mutter hatte umsonst gespart. Die Großmutter bekam keinen Pfennig. In Berlin konnte er nicht bleiben. Nach Hause durfte er nicht fahren. Und alles das wegen eines Kerls, der den Kindern Schokolade schenkte und tat, als ob er schliefe. Und dann stahl er ihr Geld. Pfui, war das eine feine Welt!

Emil presste die Tränen zurück und sah sich um. Wenn er die Notbremse zog, würde der Zug sofort stehen bleiben. Und dann käme ein Schaffner. Und noch einer. Und immer noch einer. Und alle würden fragen: »Was ist los?«

»Mein Geld ist gestohlen worden«, würde er sagen.

»Ein anderes Mal passt du besser auf«, würden sie antworten. »Wie heißt du? Wo wohnst du? Einmal die Notbremse ziehen kostet hundert Mark. Die Rechnung wird geschickt.«

In Schnellzügen konnte man wenigstens durch die Wagen laufen bis zum *Dienstabteil* und Diebstähle melden. Aber hier! In so einem *Bummelzug*! Da musste man bis zur nächsten Station warten, und inzwischen war der Mensch im steifen Hut über alle Berge. Nicht einmal die Station, wo der Kerl ausgestiegen war, wusste Emil. Wie spät mochte es sein? Wann kam Berlin? An den Fenstern des Zuges wanderten große Häuser vorbei und Villen mit Gärten und dann wieder hohe Schornsteine. Wahrscheinlich war das schon Berlin.

Er holte den Koffer aus dem Gepäcknetz, setzte die Mütze auf, steckte die Nadel wieder in den Jackenaufschlag und machte sich fertig. Er hatte zwar keine Ahnung, was er beginnen sollte, aber hier, in diesem Kupee, hielt er es keine fünf Minuten länger aus. Das stand fest.

Inzwischen wurde der Zug langsamer. Man fuhr an Bahnsteigen vorbei. Ein paar Gepäckträger liefen neben den Wagen her. Der Zug hielt!

Emil schaute durchs Fenster und erblickte ein Schild. Darauf stand: ZOOLOG. GARTEN. Die Türen flogen auf. Leute kletterten aus den Abteilen.

Emil beugte sich weit aus dem Fenster und suchte

---

das Dienstabteil, das Kupee für das Zugpersonal
der Bummelzug, der Personenzug

den Schaffner. Da erblickte er zwischen vielen Menschen einen steifen Hut. Wenn das der Dieb war? Vielleicht war er, nachdem er Emil bestohlen hatte, nur in
einen anderen Wagen gegangen?

Im nächsten Augenblick stand Emil auf dem Bahnsteig, setzte den Koffer hin, stieg noch einmal ein, weil
er die Blumen vergessen hatte, stieg wieder aus, hob
den Koffer hoch und rannte, so sehr er konnte, dem
Ausgang zu.

Wo war der steife Hut? Der Junge lief den Leuten
vor den Beinen herum, stieß gegen jemand mit dem
Koffer und rannte weiter. Die Menschenmenge wurde
immer dichter.

Da! Dort war der steife Hut! Himmel, da drüben war
noch einer! Emil konnte den Koffer kaum noch
schleppen. Am liebsten hätte er ihn einfach stehen
lassen. Doch dann wäre ihm auch der noch gestohlen
worden!

Endlich kam er dicht an die steifen Hüte heran.

Der konnte es sein! War er's?

Nein.

Dort war der Nächste.

Nein, der Mann war zu klein.

Dort, dort!

Das war der Kerl. Gott sei Dank! Das war der
Grundeis. Er schien es eilig zu haben.

»Warte nur«, knurrte Emil, »dich kriegen wir!«
Dann gab er seine Fahrkarte ab und lief, den Koffer in
der einen Hand, die Blumen in der anderen, hinter
dem Mann die Treppe hinunter.

Jetzt wurde es ernst.

Am liebsten wäre er auf den Kerl losgerannt, hätte sich
vor ihn hingestellt und gerufen: Her mit dem Geld!
Doch der sah nicht so aus, als würde er dann antworten: Aber gern, mein gutes Kind. Hier hast du's. Ich
5 will es bestimmt nicht wieder tun. Ganz so einfach war
die Sache nicht. Das Wichtigste war, er durfte den
Mann nicht aus den Augen verlieren.

Emil versteckte sich hinter einer großen, breiten
Dame und *guckte* manchmal an ihr vorbei, ob der
10 andere noch zu sehen war. Der Mann war nun am
Bahnhofseingang angekommen, blieb stehen, blickte
sich um und sah die Leute an, die hinter ihm her *drängten*, als suche er jemand. Emil presste sich ganz dicht
an die große Dame und kam dem anderen immer
15 näher. Was sollte jetzt werden? Gleich würde er an ihm
vorbei müssen, und dann war es aus. Ob ihm die Dame
helfen würde? Aber sie würde ihm sicher nicht glauben. Und der Dieb würde sagen: Bitte, meine Dame,
habe ich es wohl nötig, kleine Kinder *auszurauben?*
20 Und dann würden alle den Jungen ansehen und
schreien: Das ist doch der *Gipfel! Verleumdet* erwachsene Menschen! Nein, die Jugend von heute ist doch zu
frech.

Da drehte der Mann seinen Kopf glücklicherweise
25 wieder weg und trat ins Freie. Der Junge sprang schnell
hinter die Tür, stellte seinen Koffer ab und blickte durch

gucken, sehen
drängen, schieben
ausrauben, bestehlen
der Gipfel, der Höhepunkt
verleumden, etwas Falsches über jemanden erzählen

24

die Scheibe. Donnerwetter, tat ihm der Arm weh!

Der Dieb ging langsam über die Straße, sah noch einmal rückwärts und spazierte ziemlich beruhigt weiter. Dann kam eine Straßenbahn mit der Nummer 177 von links angefahren und hielt. Der Mann stieg auf den Vorderwagen und setzte sich an einen Fensterplatz.

Emil hob wieder seinen Koffer auf, lief an der Tür vorbei, die Halle entlang, fand eine andere Tür, rannte auf die Straße und erreichte gerade den hinteren Wagen, als die Bahn losfuhr. Er warf den Koffer hinauf, kletterte nach, schob ihn in eine Ecke und stellte sich davor. So, das war noch einmal gut gegangen.

Doch, was sollte nun werden? Wenn der andere während der Fahrt absprang, war das Geld für immer weg. Denn mit dem Koffer abspringen, das war zu gefährlich.

Diese Autos! Sie fuhren hastig an der Straßenbahn vorbei. Andere kamen nach. So ein Krach! Autos, Straßenbahnen, zweistöckige Autobusse! Zeitungsverkäufer an allen Straßenecken. Schaufenster mit Blumen, Früchten, Büchern, Uhren, Kleidern. Und hohe, hohe Häuser.

Das war also Berlin.

Emil hätte gern alles in größter Ruhe betrachtet. Aber er hatte keine Zeit dazu. Im vorderen Wagen saß ein Mann, der hatte Emils Geld und konnte jeden Augenblick verschwinden. Dann war es aus. Denn zwischen den Autos und Menschen und Autobussen fand man niemanden wieder. Emil steckte den Kopf hinaus. Wenn nun der Kerl schon weg war? Dann fuhr er hier oben allein weiter, wusste nicht wohin, wusste nicht warum, und die Großmutter wartete am Bahnhof

Friedrichstraße, am Blumenkiosk, und hatte keine Ahnung, dass ihr Enkel inzwischen auf der Linie 177 durch Berlin fuhr und große Sorgen hatte. Es war zum *Heulen*!

5 Da hielt die Straßenbahn zum ersten Mal. Es stieg niemand aus. Es drängten nur viele neue Fahrgäste in die Bahn. Auch an Emil vorbei. Ein Herr *schimpfte*, weil der Junge im Wege war.

»Siehst du nicht, dass Leute mit wollen?«, brummte 10 er ärgerlich.

Der Schaffner zog an einer Schnur. Es *klingelte*. Und die Straßenbahn fuhr weiter. Emil stellte sich wieder in seine Ecke, wurde gedrückt und auf die Füße getreten und dachte erschrocken: Ich habe ja kein Geld! Wenn 15 der Schaffner kommt, muss ich einen Fahrschein kaufen. Und wenn ich es nicht kann, schmeißt er mich raus. Und dann ist alles aus.

Er sah sich die Leute an, die neben ihm standen. Konnte er einen von ihnen fragen: *Borgen* Sie mir 20 doch bitte das Fahrgeld! Ach, die Menschen hatten so ernste Gesichter! Der eine las Zeitung. Zwei andere unterhielten sich.

Der Schaffner kam immer näher. Jetzt fragte er schon: »Noch jemand ohne Fahrschein?«

25 Er riss große, weiße *Zettel* ab und machte mit einer Zange eine Reihe Löcher hinein. Die Leute auf dem Perron gaben ihm Geld und bekamen dafür Fahrscheine.

---

heulen, laut weinen
schimpfen, laut klagen
klingeln, mit einer Glocke ein Zeichen geben
borgen, leihen
der Zettel, das Stück Papier

»Na, und du?«, fragte er den Jungen.

»Ich habe mein Geld verloren, Herr Schaffner«, antwortete Emil.

»Geld verloren? Das kenne ich. Und wo willst du hin?«

»Das ... das weiß ich noch nicht,« stotterte Emil.

»So. Na, da steige mal an der nächsten Station wieder ab und überlege dir erst, wo du hin willst.«

»Nein, das geht nicht. Ich muss hier oben bleiben, Herr Schaffner. Bitte schön.«

»Wenn ich dir sage, du sollst absteigen, steigst du ab. Verstanden?«

»Geben Sie dem Jungen einen Fahrschein!«, sagte da der Herr, der Zeitung gelesen hatte. Er gab dem Schaffner Geld. Und der Schaffner gab Emil einen Fahrschein und erzählte dem Herrn: »Was glauben Sie, wie viele Jungen da täglich ankommen und sagen: Ich habe das Geld vergessen. Hinterher lachen sie uns aus.«

»Der hier lacht uns nicht aus«, antwortete der Herr.

»Haben Sie vielen Dank, mein Herr!«, sagte Emil.

»Bitte schön, nichts zu danken«, meinte der Herr und schaute wieder in seine Zeitung.

Dann hielt die Straßenbahn wieder. Emil beugte sich hinaus, ob der Mann im steifen Hut ausstiege. Doch es war nichts zu sehen.

»Darf ich vielleicht um Ihre Adresse bitten,« fragte Emil den Herrn.

»Wozu denn?«

»Damit ich Ihnen das Geld zurückgeben kann, sobald ich welches habe. Tischbein ist mein Name. Emil Tischbein aus Neustadt.

»Nein«, sagte der Herr, »den Fahrschein habe ich

dir selbstverständlich geschenkt. Soll ich dir noch etwas geben?«

»*Unter keinen Umständen*«, erklärte Emil fest, »das könnte ich bestimmt nicht annehmen.«

»Wie du willst«, meinte der Herr und guckte wieder in die Zeitung. 5

Und die Straßenbahn fuhr. Und sie hielt. Und sie fuhr weiter. Emil las den Namen der schönen, breiten Straße. Kaiserallee hieß sie. Er fuhr und wusste nicht, wohin. Im andern Wagen saß ein Dieb. Und vielleicht 10 saßen und standen noch andere Diebe in der Bahn. Niemand kümmerte sich um ihn. Ein fremder Herr hatte ihm zwar einen Fahrschein geschenkt, doch nun las er schon wieder Zeitung.

Die Stadt war so groß. Und Emil war so klein. Und 15 kein Mensch wollte wissen, warum er kein Geld hatte, und warum er nicht wusste, wo er aussteigen sollte. Vier Millionen Menschen lebten in Berlin, und keiner interessierte sich für Emil Tischbein. Jeder hat mit seinen eigenen Sorgen und Freuden genug zu tun. Und 20 jeder denkt: Mensch, lass mich bloß in Ruhe!

Was würde werden? Emil fühlte sich sehr, sehr allein.

| *unter keinen Umständen*, bestimmt nicht

Große Aufregung
in der Schumannstraße

Während Emil auf der Straßenbahn 177 die Kaiserallee hinunterfuhr und nicht wusste, wo er landen würde, warteten die Großmutter und Pony Hütchen, seine
Kusine, im Bahnhof Friedrichstraße auf ihn. Sie hatten
5 sich am Blumenkiosk aufgestellt und blickten immer
wieder nach der Uhr. Viele Leute kamen vorüber.
Doch Emil war nicht dabei.

»Wahrscheinlich ist er sehr groß geworden, was?«,
fragte Pony Hütchen und schob ihr ganz neues Fahrrad
10 hin und her. Sie hatte es eigentlich gar nicht mitneh-
men sollen. Doch sie hatte so lange gefragt, bis die
Großmutter erklärte: »Nimm's mit, *alberne Liese*!«
Nun war die alberne Liese guter Laune und freute sich
auf Emils respektvollen Blick. »Sicher findet er es *ober-*
15 *fein*«, sagte sie.

Die Großmutter wurde unruhig: »Ich möchte bloß
wissen, was das heißen soll. Jetzt ist es schon 18 Uhr
20. Der Zug müsste doch längst da sein.«

Sie warteten noch ein paar Minuten. Dann schickte
20 die Großmutter das kleine Mädchen fort, um zu fragen.
Pony Hütchen nahm natürlich ihr Rad mit. »Können
Sie mir nicht erklären, wo der Zug aus Neustadt bleibt,
Herr Inspektor?«, fragte sie den Beamten, der aufpasste,
dass jeder ein Billett mitbrachte.

25 »Neustadt? Neustadt?«, überlegte er, »ach so, 18
Uhr 17! Der Zug ist längst 'rein.«

---

die alberne Liese, das dumme Mädchen
oberfein, sehr fein

»Ach, das ist aber schade. Wir warten nämlich dort
drüben am Blumenkiosk auf meinen Vetter Emil.«

»Freut mich, freut mich«, sagte der Mann.

»Wieso freut Sie das, Herr Inspektor?«, fragte Pony
5 neugierig.

Der Beamte antwortete nicht und drehte sich um.

»Na, Sie sind aber einer«, sagte Pony sauer. »Auf
Wiedersehen!«

Ein paar Leute lachten. Der Beamte biss sich ärger-
10 lich auf die Lippen. Und Pony Hütchen ging zum Blumenkiosk.

»Der Zug ist längst 'rein, Großmutter.«

»Was mag da passiert sein?«, dachte die alte Dame.
»Ob er *verkehrt* ausgestiegen ist? Aber wir haben es
15 doch ganz genau beschrieben!«

»Ich werde daraus nicht klug«, meinte Pony.

»Sicher ist er verkehrt ausgestiegen! Du wirst sehen,
dass ich recht habe.«

Und dann warteten sie von Neuem. Fünf Minuten.
20 Noch mal fünf Minuten.

»Das nützt uns aber wirklich nichts«, sagte Pony zur
Großmutter. »Ob es noch einen anderen Blumenkiosk
gibt?«

»Du kannst ja mal nachsehen. Aber mach schnell!«
25 Hütchen nahm wieder ihr Rad und inspizierte den
Bahnhof, fragte auch noch zwei Eisenbahnbeamte und
kam stolz zurück.

»Also«, erzählte sie, »Blumenkioske gibt's keine
sonst.

30 Was wollte ich noch sagen? Richtig, der nächste Zug
aus Neustadt kommt hier um 20 Uhr 33 an. Wir gehen

| *verkehrt*, falsch

32

jetzt hübsch nach Hause. Und Punkt acht fahre ich mit meinem Rad wieder hierher. Wenn er dann noch immer nicht da ist, kriegt er *einen Brief* von mir, *der sich gewaschen hat.*«

Die Großmutter machte ein besorgtes Gesicht und schüttelte den Kopf. »Die Sache gefällt mir nicht. Die Sache gefällt mir nicht«, erklärte sie.

Sie gingen langsam nach Hause. Unterwegs fragte Pony Hütchen: »Großmutter, willst du dich auf die *Lenkstange* setzen?«

»Halte den Mund!«

»Wieso? Schwerer als Zicklers Arthur bist du auch nicht, und der setzt sich oft darauf, wenn ich fahre.«

»Wenn das noch ein einziges Mal vorkommt, nimmt dir dein Vater das Rad für immer weg.«

»Ach, euch darf man aber auch gar nichts erzählen,« sagte Pony.

Als sie zu Hause - Schumannstraße 15 - angekommen waren, gab es bei Ponys Eltern, Heimbold hießen sie, große Aufregung. Jeder wollte wissen, wo Emil war, und keiner wusste es ...

Der Vater riet, an Emils Mutter zu telegrafieren.

»Um Gottes willen!«, rief seine Frau, Ponys Mutter. »Wir gehen um acht noch einmal auf den Bahnhof. Vielleicht kommt er mit dem nächsten Zug.«

»Hoffentlich«, jammerte die Großmutter, »die Sache gefällt mir nicht. Die Sache gefällt mir nicht!«

»Die Sache gefällt mir nicht«, sagte Pony Hütchen nachdenklich.

ein Brief, der sich gewaschen hat, ein sehr scharfer Brief
die Lenkstange, das Fahrradsteuer

Der Junge mit der *Hupe* taucht auf

In der Trautenaustraße, Ecke Kaiserallee, verließ der Mann im steifen Hut die Straßenbahn. Emil sah's, nahm Koffer und Blumenstrauß, sagte zu dem Herrn, der die Zeitung las: »Haben Sie nochmals vielen Dank,
5 mein Herr!«, und kletterte vom Wagen.

Der Dieb ging am Vorderwagen vorbei, über *die Gleise* nach der anderen Seite der Straße. Dann fuhr die Bahn weiter, und Emil bemerkte, dass der Mann erst stehen blieb und dann die Stufen zu einer Café-
10 Terrasse hinaufschritt.

Jetzt hieß es wieder einmal vorsichtig sein. Wie ein Detektiv. Emil orientierte sich flink, entdeckte an der Ecke einen Zeitungskiosk und lief, so rasch er konnte, dahinter. Da konnte er sich gut *verstecken*. Der Junge
15 stellte sein Gepäck hin, nahm die Mütze ab und guckte.

Der Mann hatte sich auf die Terrasse gesetzt, rauchte eine Zigarette und schien *vergnügt*. Emil fand es schrecklich, dass ein Dieb überhaupt vergnügt sein
20 kann, und dass der Bestohlene traurig sein muss, und wusste keinen Rat.

Warum musste er sich hinter dem Zeitungskiosk verstecken, als wäre er selber der Dieb und nicht der andere? Was nützte es, dass er wusste, der Mann saß im
25 Café Josty an der Kaiserallee? Wenn der Kerl jetzt aufstand, konnte die Rennerei weitergehen. Blieb er aber,

die Hupe, das Instrument, mit dem man ein akustisches Signal geben kann
das Gleis, die Schienen
verstecken, unsichtbar machen
vergnügt, froh

dann konnte Emil hinter dem Kiosk stehen, bis er schwarz wurde.

Plötzlich hupte es dicht hinter Emil! Er sprang erschrocken zur Seite, drehte sich um und sah einen Jungen stehen, der ihn auslachte. 5

»Na, Mensch, fall nur nicht gleich um«, sagte der Junge.

»Wer hat denn eben hinter mir gehupt?«, fragte Emil.

»Na, Mensch, ich natürlich. Du bist wohl nicht aus 10 Wilmersdorf, wie? Sonst wüsstest du längst, dass ich 'ne Hupe in der Hosentasche habe. Hier kennt mich nämlich jeder.«

»Ich bin aus Neustadt. Und komme gerade vom Bahnhof.« 15

»So, aus Neustadt? Darum hast du so 'nen verrückten Anzug an.«

»Nimm das zurück, du, sonst bist du gleich *k.o.*«

»Na, Mensch«, sagte der andere gutmütig, »bist du böse? Das Wetter ist mir zum Boxen zu gut. Aber von 20 mir aus, bitte!«

»Warten wir bis später«, erklärte Emil, »ich hab jetzt keine Zeit für so was.« Und er blickte nach dem Café hinüber, ob Grundeis noch da säße.

»Ich dachte sogar, du hättest viel Zeit! Stellt sich 25 mit Koffer und Blumen hinter den Zeitungskiosk und spielt mit sich selber Verstecken! Da muss man doch glatt zehn bis zwanzig Meter Zeit übrig haben.«

»Nein«, sagte Emil, »ich *beobachte* einen Dieb.«

»Was? Dieb?«, meinte der andere Junge, »wen hat er 30

---

k.o., knock out, besiegt
beobachten, genau ansehen

denn *beklaut?*«

»Mich!«, sagte Emil und war direkt stolz darauf. »In der Eisenbahn. Während ich schlief. Hundertvierzig Mark. Die sollte ich meiner Großmutter hier in Berlin
5 geben. Dann ist er in ein anderes Abteil gegangen und am Bahnhof Zoo ausgestiegen. Ich natürlich hinterher. Dann auf die Straßenbahn. Und jetzt sitzt er drüben im Café, mit seinem steifen Hut.«

»Na, Mensch, das ist ja großartig!«, rief der Junge,
10 »das ist ja wie im Kino! Und was willst du nun?«

»Weiß ich nicht. Immer hinterher.«

»Sag's doch dem Polizisten dort.«

»Ich mag nicht. Ich habe bei uns in Neustadt *was ausgefressen.* Ein paar Schulkameraden und ich haben
15 dem *Denkmal* des Großherzogs einen alten Hut auf den Kopf gesetzt, und ich habe ihm eine rote Nase und einen Schnurrbart gemalt. Und während ich malte, war der *Wachtmeister* Jeschke gekommen. Und wenn ich nun ...

20 »Verstehe, Mensch!«

»Und am Bahnhof Friedrichstraße wartet meine Großmutter.«

Der Junge mit der Hupe dachte ein Weilchen nach. Dann sagte er: »Also, ich finde die Sache mit dem
25 Dieb großartig! Und, Mensch, wenn du nichts dagegen hast, helfe ich dir.«

»Da wär ich dir aber dankbar.«

»Unsinn! Das ist doch klar, dass ich hier mitmache.

---

beklauen, jemandem etwas stehlen
etwas ausfressen, etwas Falsches tun
das Denkmal, das Monument
der Wachtmeister, der Polizist

36

Ich heiße Gustav.«

»Und ich Emil.«

Sie gaben sich die Hand und gefielen einander ausgezeichnet.

»Nun aber los«, sagte Gustav, »wenn wir hier nur 5
stehen bleiben, *verduftet* uns der *Schuft* noch. Hast du
noch etwas Geld?«

»Keinen Pfennig.«

Gustav hupte leise, um besser nachzudenken. Es half
nichts. 10

»Wie, wenn du noch ein paar Freunde holtest«,
fragte Emil.

»Mensch, die Idee ist prima!«, rief Gustav begei-
stert, »das mach ich! Ich brauch bloß mal durch die
Höfe zu laufen und zu hupen, gleich kommen sie an.« 15

»Tu das mal!« rief Emil, »aber komm bald wieder.
Sonst läuft der Kerl da drüben weg. Und da muss ich
hinterher. Und wenn du wiederkommst, bin ich weg.«

»Klar, Mensch! Ich mach schnell! Übrigens isst der
Kerl im Café Josty drüben Bouillon mit Ei und solche 20
Sachen. Der bleibt noch 'ne Weile. Also, Wiedersehen,
Emil! Mensch, das wird 'ne ganz große Sache!« Und
fort war er.

Emil fühlte sich wunderbar erleichtert. Denn *Pech*
bleibt zwar Pech. Aber ein paar Kameraden zu haben, 25
die freiwillig mitmachen, das ist eine große Hilfe.

Er behielt den Dieb scharf im Auge und hatte nur
eine Angst: dass der Schuft fortlaufen könnte. Dann
waren Gustav und die Hupe und alles umsonst.

verduften, verschwinden
der Schuft, der gemeine Kerl
das Pech, das Unglück

Aber Herr Grundeis blieb. Wenn er *geahnt* hätte, wie schlecht es um ihn stand, dann hätte er sich mindestens ein Flugzeug bestellt.

Zehn Minuten später hörte Emil die Hupe wieder.
5 Er drehte sich um und sah Gustav und mindestens zwei *Dutzend* Jungen die Trautenaustraße heraufkommen.

»Das Ganze halt! Na, was sagst du nun?«, fragte Gustav und lachte übers ganze Gesicht.

»Großartig!«, sagte Emil.

10 »Also, meine Herrschaften! Das hier ist Emil aus Neustadt. Das andere hab ich euch schon erzählt. Dort drüben sitzt der Schweinehund, der ihm das Geld geklaut hat. Der Kerl rechts vorne mit der schwarzen *Melone* auf dem Kopf. Wenn uns der Bruder wegläuft,
15 nennen wir uns von morgen ab nur noch Moritz! Verstanden?«

»Aber Gustav, den kriegen wir doch!«, sagte ein Junge mit einer Hornbrille.

»Das ist der Professor«, erklärte Gustav. Und Emil
20 gab ihm die Hand.

Dann wurde ihm die ganze Bande vorgestellt.

»So«, sagte der Professor, »nun wollen wir mal anfangen. Los! Erstens, Geld her!«

Jeder gab, was er hatte. Die Münzen fielen in Emils
25 Mütze. Sogar ein Markstück war dabei. Es kam von einem sehr kleinen Jungen, der Dienstag hieß. Er sprang vor Freude von einem Bein aufs andere und durfte das Geld zählen.

»Fünf Mark und siebzig Pfennige«, berichtete er den

ahnen, wissen
das Dutzend, 12 Stück
die Melone, hier: der steife Hut

interessierten Zuhörern. »Am besten verteilen wir das Geld an drei Leute.«

»Sehr gut«, sagte der Professor. Er und Emil kriegten je zwei Mark, Gustav eine Mark und siebzig.

5 »Vielen Dank«, sagte Emil, »wenn wir ihn haben, gebe ich euch das Geld wieder. Was nun? Am liebsten wäre ich erst mal den Koffer und die Blumen los. Denn wenn die Rennerei wieder losgeht, sind mir die Sachen im Wege.«

10 »Mensch, gib her«, meinte Gustav. »Ich bring's gleich rüber ins Café Josty, geb's am Büfett ab und begucke mir mal den Herrn Dieb.«

»Aber pass nur auf«, sagte der Professor. »Der Schuft darf nicht merken, dass ihm Detektive auf der
15 Spur sind.«

»Bin ich vielleicht dumm?«, knurrte Gustav und ging weg.

»Ein feines Fotografiergesicht hat der Herr«, sagte er, als er zurückkam. »Und die Sachen können wir wie-
20 der holen, wenn's uns passt.«

»Jetzt wäre es gut«, schlug Emil vor, »wenn wir einen Kriegsrat abhielten. Aber nicht hier. Das fällt auf.«

»Wir gehen nach dem Nikolsburger Platz«, riet der Professor. »Zwei bleiben hier am Zeitungskiosk und
25 passen auf, dass der Kerl nicht verduftet. Fünf oder sechs stellen wir als *Stafetten* auf, die sofort Nachricht geben, wenn's was Neues gibt. Dann kommen wir schnell zurück.«

»Lass mich das nur machen!«, rief Gustav und
30 begann, den Nachrichtendienst zu organisieren. »Ich bleibe hier«, sagte er zu Emil, »mach dir keine Sorgen!

| *die Stafette*, der Melder

40

Wir lassen ihn nicht fort. Und beeilt euch ein bisschen. Es ist schon ein paar Minuten nach sieben.«

Er stellte die Stafetten auf. Und die andern gingen
mit Emil und dem Professor an der Spitze zum Nikolsburger Platz.

_____ Die Detektive versammeln sich _____

Sie setzten sich auf die zwei weißen Bänke, die in den
Anlagen stehen, und sahen ernst aus. Der Junge, der
Professor genannt wurde, griff sich, wie sein Vater, der
Justizrat, an die Brille. »Es besteht die Möglichkeit«,
begann er, »dass wir uns nachher aus praktischen
Gründen trennen müssen. Darum brauchen wir eine
Telefonzentrale. Wer von euch hat Telefon?«

»Und wer hat nun die vernünftigsten Eltern?«

»Wahrscheinlich ich!«, rief der kleine Dienstag.

»Eure Telefonnummer?«

»Bavaria 0579.«

»Hier sind Bleistift und Papier. Krummbiegel, mach
dir zwanzig Zettel und schreibe auf jeden von ihnen
Dienstags Telefonnummer. Aber gut leserlich! Und
dann gibst du jedem von uns einen Zettel. Die Telefonzentrale wird immer wissen, wo sich die Detektive
aufhalten und was los ist. Und wer das erfahren will,
der ruft einfach den kleinen Dienstag an und erhält
von ihm genauen Bescheid.«

»Ich bin doch aber nicht zu Hause«, sagte der kleine Dienstag.

| _die Anlage,_ der Park

»Doch, du bist zu Hause«, antwortete der Professor. »Sobald wir hier fertig sind, gehst du nach Hause und bleibst am Telefon.«

»Ach, ich möchte aber lieber dabei sein, wenn der
5 *Verbrecher* gefangen wird. Kleine Jungens kann man bei so was gut gebrauchen.«

»Du gehst nach Hause und bleibst am Telefon. Es ist eine sehr wichtige Aufgabe.«

»Na schön, wenn ihr wollt.«

10 Krummbiegel verteilte die Telefonzettel. Und jeder Junge steckte seinen vorsichtig in die Tasche. Ein paar ganz Vorsichtige lernten gleich die Nummer auswendig.

»Wir werden auch eine Art *Bereitschaftsdienst* ein-
15 richten müssen«, meinte Emil.

»Natürlich. Wer bei der Jagd nicht gerade gebraucht wird, bleibt am Nikolsburger Platz. Ihr geht jeder einmal nach Hause und erzählt dort, ihr kommt heute vielleicht sehr spät heim. Ein paar können ja auch
20 sagen, sie werden bei einem Freund schlafen. Damit wir genug Leute haben, falls die Jagd bis morgen dauert. Gustav, Krummbiegel, Arnold Mittenzwey, sein Bruder und ich rufen zu Hause an, dass wir wegbleiben ... Ja, und Traugott geht mit zu Dienstags, als Melder,
25 und rennt zum Nikolsburger Platz, wenn wir jemand brauchen. Nun haben wir also die Detektive, den Bereitschaftsdienst, die Telefonzentrale und den Melder. Das genügt wohl.«

»Was zum Essen werden wir brauchen«, sagte Emil.

---

der *Verbrecher*, der Kriminelle
der *Bereitschaftsdienst*, eine Gruppe, die immer zur Verfügung steht

»Vielleicht rennen ein paar von euch nach Hause und holen Butterbrote.«

»Wer wohnt am nächsten?«, fragte der Professor. »Los! Mittenzwey, Gerold, Friedrich der Erste, Brunot, Zerlett, ab und bringt ein paar Brotpakete mit!« 5
Die fünf Jungen rannten davon.

»*Ihr Holzköppe*, ihr redet nur von Essen, Telefon und Nicht-zu-Hause-Schlafen. Aber wie ihr den Kerl kriegt, davon sprecht ihr nicht. Ihr ... ihr Superklugen!« brummte Traugott. 10

»Habt ihr denn einen Apparat für Fingerabdrücke?«, fragte Petzold. »Vielleicht hat er sogar Gummihandschuhe angehabt. Und dann kann man ihn gar nicht kriegen.« Petzold hatte schon zweiundzwanzig Kriminalfilme gesehen, wie man merkt. 15

»Unsinn!«, sagte Traugott. »Wir werden ihm ganz einfach das Geld, das er geklaut hat, wieder klauen!«

»Ach was!«, erklärte der Professor. »Wenn wir ihm das Geld klauen, sind wir selber Diebe, genau wie er!«

»Du bist verrückt!«, rief Traugott. »Wenn mir 20 jemand was stiehlt, und ich stehl es ihm wieder, bin ich doch kein Dieb!«

»Der Professor hat sicher recht«, griff Emil ein. »Wenn ich jemandem heimlich etwas wegnehme, bin ich ein Dieb. Ob es ihm gehört, oder ob er es mir erst 25 gestohlen hat, ist egal.«

»Genau so ist es«, sagte der Professor. »Wie wir nun den Schuft fangen, wissen wir noch nicht. Nur, er muss das Geld freiwillig wieder hergeben. Stehlen wäre idiotisch.« 30

»Das versteh ich nicht«, meinte der kleine Dienstag.

| *Ihr Holzköppe*!, Ihr Dummköpfe!

43

»Was mein ist, kann ich doch nicht stehlen können! Was mein ist, ist eben mein. Auch in einer fremden Tasche!«

»Das sind Sachen, die schwer zu verstehen sind«, sagte der Professor. »Moralisch hast du ja recht. Aber bestraft wirst du trotzdem. Das verstehen sogar viele Erwachsene nicht. Aber es ist so.«

»Na gut«, sagte Traugott.

»Und seid ja recht vorsichtig! Könnt ihr gut *schleichen*?«, fragte Petzold. »Sonst sieht er euch. Und dann ist alles vorbei.«

»Ja, gut schleichen muss man«, sagte der kleine Dienstag. »Ich schleiche wundervoll. Wie ein Polizeihund.«

»Schleiche mal in Berlin, dass dich niemand sieht!« Emil wurde böse. »Wenn du willst, dass alle dich sehen sollen, brauchst du nur zu schleichen.«

»Aber einen Revolver müsst ihr haben!«, riet Petzold.

»Ja, einen Revolver braucht ihr«, riefen zwei, drei andere.

»Nein«, sagte der Professor.

»Der Dieb hat sicher einen.«

»Gefahr ist eben dabei«, erklärte Emil, »und wer Angst hat, geht am besten schlafen.«

»Willst du damit sagen, dass ich *feige* bin?« Traugott machte sich bereit zum Boxen.

»Ordnung!«, rief der Professor, »streitet euch morgen! Ihr benehmt euch ja wahrhaftig wie ... wie die Kinder!«

schleichen, vorsichtig, leise und möglichst unbemerkt gehen
feige, Angst haben

»Wir sind doch auch welche«, sagte der kleine Dienstag. Und da mussten alle lachen.

»Eigentlich sollte ich meiner Großmutter ein paar Worte schreiben. Denn meine Verwandten wissen ja gar nicht, wo ich bin. Vielleicht rennen sie noch zur Polizei. Kann jemand einen Brief für mich in die Schumannstraße 15 bringen? Da wohnen sie nämlich.«

»Mach ich«, sagte ein Junge, der Bleuer hieß.

»Schreib nur schnell. Ich fahre mit der U-Bahn. Wer gibt mir Geld?«

Der Professor gab ihm zwanzig Pfennige. Für Hin- und Rückfahrt. Emil schrieb:

Liebe Großmutter!

Ich bin in Berlin. Kann aber leider noch nicht kommen, weil ich vorher etwas Wichtiges tun muss. Fragt nicht was. Und seid nicht bange. Wenn alles geordnet ist, komm ich und freu mich schon jetzt. Der Junge mit dem Brief weiß, wo ich bin, darf es aber nicht sagen. Denn es ist ein Geheimnis. Viele Grüße, auch an Onkel, Tante und Pony Hütchen.

Dein treuer Enkel Emil.

NB. Mutti lässt vielmals grüßen. Blumen hab ich auch mit. Die kriegst du, sobald ich kann.

Emil schrieb die Adresse auf die Rückseite, faltete das Papier zusammen und sagte: »Dass du aber meinen Leuten nicht erzählst, wo ich bin, und dass das Geld weg ist. Sonst geht mir's schlecht.«

»Schon gut, Emil!«, meinte Bleuer. »Wenn ich zurück bin, melde ich mich beim Bereitschaftsdienst.« Dann rannte er fort.

Inzwischen waren die fünf Jungen wiedergekommen

und brachten Brotpakete mit. Gerold lieferte sogar eine ganze Wurst ab. Von seiner Mutter, erzählte er. Na ja.

5 Die fünf hatten zu Hause angedeutet, dass sie noch ein paar Stunden wegblieben. Emil verteilte die Brote und legte die Wurst für später beiseite.

Der Professor gab die Parole aus. Die Parole hieß: »Emil!« Das war leicht zu behalten.

10 Dann ging der kleine Dienstag mit Traugott, dem Melder, ab und wünschte den Detektiven viel Glück. Der Professor rief ihm noch nach, er sollte doch für ihn zu Hause anrufen und sagen, er, der Professor, habe noch was vor. »Dann ist mein Vater beruhigt«, fügte er noch hinzu.

15 »Donnerwetter noch mal«, sagte Emil, »gibt's in Berlin aber feine Eltern!«

»Bilde dir ja nicht ein, dass sie alle so gemütlich sind«, meinte Krummbiegel.

»Doch, doch, manche sind ganz gut«, sagte der Pro-
20 fessor. »Ich habe meinem alten Herrn versprochen, nichts zu tun, was unanständig oder gefährlich ist. Solange ich das Versprechen halte, kann ich machen, was ich will. Ist ein feiner Kerl, mein Vater.«

»Vielleicht wird's aber heute gefährlich«, meinte
25 Emil.

»Aber ich würde auch so handeln, wenn er dabei wäre, und dann ist's gut. So, nun aber los!«, sagte er.

Der Professor rief dann: »Die Detektive erwarten, dass ihr funktioniert. Wir haben die Telefonzentrale,
30 Proviant und Geld. Mein Geld, noch eine Mark und fünfzig Pfennige, bekommt Gerold. Die Telefonnummer weiß jeder. Wer nach Hause muss, geht. Aber mindestens fünf Leute müssen bleiben. Zeigt, dass ihr

richtige Jungens seid! Wenn wir jemand brauchen, schickt der kleine Dienstag den Traugott zu euch. Alles klar? Parole Emil!«

»Parole Emil!«, schrien alle, dass der Nikolsburger Platz *wackelte*.

Emil war direkt glücklich, dass man ihn bestohlen hatte.

____ Eine *Autodroschke* wird verfolgt ____

Da kamen drei Stafettenläufer aus der Trautenaustraße gerannt und *fuchtelten* mit den Armen.

»Los!«, sagte der Professor. Und schon rannten er, Emil, die Brüder Mittenzwey und Krummbiegel nach der Kaiserallee. Die letzten zehn Meter legten sie vorsichtig im Schritt zurück, weil Gustav winkte.

»Zu spät?«, fragte Emil und holte Luft.

»Bist du verrückt, Mensch?«, *flüsterte* Gustav. »Wenn ich was mache, mach ich's richtig.«

Der Dieb stand vor dem Café Josty und betrachtete sich die Gegend. Dann kaufte er sich ein Abendblatt und begann zu lesen.

»Hoffentlich kommt er nicht hier rüber«, meinte Krummbiegel.

Sie standen hinter dem Kiosk. Der Dieb las in seiner Zeitung.

»Hat er oft zu euch hergeblickt?«, fragte der Professor.

wackeln, sich bewegen
die Autodroschke, das Taxi
fuchteln, schwenken
flüstern, leise sprechen

»Kein Mal, Mensch! Gefuttert hat er, als hätte er seit drei Tagen nichts gegessen.«

»Achtung!«, rief Emil.

Der Mann im steifen Hut faltete die Zeitung wieder
5 zusammen und winkte dann eine leere Autodroschke heran. Das Auto hielt, der Mann stieg ein, das Auto fuhr weiter.

Doch da saßen die Jungen schon in einem andern Auto, und Gustav sagte zu dem Chauffeur: »Sehen Sie
10 die Droschke, die jetzt zum Prager Platz einbiegt? Ja? Fahren Sie hinterher. Aber vorsichtig, dass er es nicht merkt.«

Der Wagen fuhr, *in passendem Abstand*, hinter der anderen Droschke her.

15 »Was ist denn los?«, fragte der Chauffeur.

»Ach, Mensch, da hat einer was ausgefressen, und den verfolgen wir«, erklärte Gustav.

»Habt ihr denn auch Geld?«, fragte der Chauffeur.

»Wofür halten Sie uns eigentlich«, rief der Professor.

20 »Na, na«, sagte der Chauffeur.

»IA 3733 ist seine Nummer«, sagte Emil.

»Sehr wichtig.« Der Professor notierte es sich.

»Nicht zu nahe ran!«, warnte Krummbiegel.

»Schon gut«, murmelte der Chauffeur.

25 So ging es die Motzstraße lang, über den Viktoria-Luise-Platz und die Motzstraße weiter.

»Runter!«, flüsterte Gustav. Die Jungen warfen sich zu Boden.

»Was gibt's denn?«, fragte der Professor.

30 »An der Lutherstraße ist rotes Licht, Mensch! Wir müssen gleich halten, und der andre Wagen auch.«

---

in passendem Abstand, nicht zu nahe

Tatsächlich hielten beide Wagen und warteten hintereinander, bis wieder grünes Licht war. Aber niemand konnte merken, dass die zweite Autodroschke besetzt war. Sie schien leer. Die Jungen versteckten sich geradezu vorbildlich. Der Chauffeur musste lachen. Während der Weiterfahrt kamen sie vorsichtig wieder hoch.

»Wenn die Fahrt nur nicht zu lange dauert«, sagte der Professor. »Der Spaß kostet schon 80 Pfennige.«

Die Fahrt war sogar sehr schnell zu Ende. Am Nollendorfplatz hielt die erste Droschke, direkt vor dem Hotel Kreid. Der zweite Wagen hatte rechtzeitig gebremst und wartete, was nun werden würde.

Der Mann im steifen Hut stieg aus, zahlte und verschwand im Hotel.

»Gustav, hinterher!«, rief der Professor, »wenn das Ding zwei Ausgänge hat, ist er weg.« Gustav verschwand.

Dann stiegen die anderen Jungen aus. Emil zahlte. Es kostete eine Mark. Der Professor führte seine Leute rasch durch das eine Tor, in einen großen Hof hinter dem Kino am Nollendorfplatz. Dann schickte er Krummbiegel zu Gustav.

»Wenn der Kerl im Hotel bleibt, haben wir Glück«, meinte Emil. »Dieser Hof hier ist ja ein wundervolles *Standquartier*.«

»Mit allem Komfort«, sagte auch der Professor, »U-Bahn gegenüber, Anlagen zum Verstecken, Lokale zum Telefonieren. Besser geht's nicht.«

»Hoffentlich macht es Gustav klug«, sagte Emil.

»Der ist klüger, als er aussieht«, antwortete Mittenzwey der Ältere.

| *das Standquartier*, die Zentrale

»Wenn er nur bald käme«, meinte der Professor und setzte sich auf einen Stuhl, der auf dem Hofe stand.

Und dann kam Gustav wieder. »Den haben wir«, sagte er. »Er wohnt richtig im Hotel. Ich sah, wie ihn
5 der Boy im Lift hochfuhr. Einen zweiten Ausgang gibt's auch nicht. Der sitzt in der *Falle*.«

»Krummbiegel *steht Wache?*«, fragte der Professor.

»Natürlich, Mensch!«

Dann kriegte Mittenzwey der Ältere 10 Pfennige
10 und telefonierte mit dem kleinen Dienstag.

»Hallo, Dienstag?«

»Jawohl«, sagte der kleine Dienstag am andern Ende. »Parole Emil! Hier Mittenzwey Senior. Der Mann im steifen Hut wohnt im Hotel Kreid am Nol-
15 lendorfplatz. Das Standquartier befindet sich im Hof hinter dem Kino, linkes Tor.«

Der kleine Dienstag notierte sich alles, wiederholte und fragte: »Braucht ihr Verstärkung, Mittenzwey?«

»Nein.«
20 »Welche Zimmernummer?«

»Das wissen wir noch nicht. Aber wir kriegen's schon raus. Haben andere schon angerufen?«

»Nein, niemand. Es ist direkt langweilig.«

»Na, *Servus*, kleiner Dienstag.«
25 »Guten Erfolg, meine Herren. Parole Emil!«

»Parole Emil!«, antwortete Mittenzwey und melde-te sich wieder im Hof zur Stelle. Es war schon acht Uhr. Der Professor kontrollierte die Wache.

---

die Falle, ein Instrument um Tiere zu fangen
Wache stehen, aufpassen
Servus!, Guten Tag!, Auf Wiedersehen!

»Heute kriegen wir ihn sicher nicht mehr«, sagte Gustav ärgerlich.

»Es ist trotzdem das Beste für uns, wenn er gleich schlafen geht«, sagte Emil, »denn wenn er jetzt noch stundenlang im Auto herumfährt und in Restaurants geht oder tanzen oder ins Theater oder alles zusammen - da können wir ja vorher ruhig ein paar Auslandskredite aufnehmen.«

Der Professor kam zurück und schickte die beiden Mittenzwey auf den Nollendorfplatz. »Wir müssen überlegen, wie wir den Kerl besser beobachten können«, sagte er.

Da ertönte im Hof eine Fahrradklingel, und in den Hof rollte ein kleines, ganz neues Fahrrad. Drauf saß ein kleines Mädchen, und hinten auf dem Rad stand Kamerad Bleuer. Und beide riefen: »Hurra!«

Emil sprang auf, schüttelte dem kleinen Mädchen die Hand und sagte: »Das ist meine Kusine Pony Hütchen.«

Der Professor gab Hütchen seinen Stuhl, und sie setzte sich.

»Also Emil«, sagte sie, »kommst nach Berlin und machst gleich 'ne Show! Wir wollten gerade noch mal nach dem Bahnhof Friedrichstraße, da kam dein Freund Bleuer mit dem Brief. Netter Kerl übrigens.«

Bleuer wurde rot und sehr stolz.

»Na ja«, erzählte Pony Hütchen, »die Eltern und Großmutter sitzen nun zu Hause und wissen nicht, was mit dir eigentlich los ist. Wir haben ihnen natürlich nichts erzählt. Ich bin nur mit Bleuer schnell mal hierhergekommen, muss aber gleich wieder nach Haus, denn sie wissen es nicht. Sonst alarmieren sie noch die Polizei. Denn noch ein Kind weg an ein und demselben Tag, das hielten ihre Nerven nicht aus. Aber morgen *schnappt* ihr den Verbrecher hoffentlich?«, meinte Hütchen. »Wer ist denn euer Sherlock Holmes?«

»Hier«, sagte Emil, »das ist der Professor.«

5 »Sehr angenehm, Herr Professor«, erklärte Pony Hütchen, »endlich lerne ich mal 'nen richtigen Detektiv kennen.«

Der Professor lachte und sagte ein paar unverständliche Worte.

10 »So, und hier«, sagte Pony Hütchen, »ist mein Taschengeld, fünfundzwanzig Pfennige. Kauft euch ein paar Zigarren.«

Emil nahm das Geld. Sie saß wie eine Schönheitskönigin auf dem Stuhl.

15 »Und nun verdufte ich«, sagte Pony Hütchen, »morgen früh bin ich wieder da. Wo werdet ihr schlafen? Gott, zu gern würde ich hierbleiben und euch Kaffee kochen. Aber was soll man machen? Ein anständiges Mädchen gehört ins Bett. So, Wiedersehen, meine
20 Herren! Gute Nacht, Emil!«

Sie gab Emil einen Schlag auf die Schulter, sprang auf ihr Rad, klingelte lustig und radelte davon.

Die Jungen standen eine ganze Zeit sprachlos.

Dann tat der Professor den Mund auf und sagte:
25 »Donnerwetter noch mal!«

Und die andern gaben ihm ganz Recht.

---

schnappen, fangen

Ein Spion schleicht ins Hotel

Die Zeit verging langsam.

Emil besuchte die drei *Vorposten* und wollte einen *ablösen*. Aber sie wollten bleiben. Dann ging Emil ganz vorsichtig bis ans Hotel Kreid, informierte sich und kam ziemlich aufgeregt in den Hof zurück.

»Wir können doch nicht die ganze Nacht das Hotel ohne Spion lassen!«, sagte er. »Krummbiegel steht zwar an der Ecke Kleiststraße. Aber er braucht nur den Kopf wegzudrehen, und schon kann Grundeis verschwinden.

»Das kannst du leicht sagen, Mensch«, meinte Gustav. »Wir können doch nicht einfach zu dem Portier laufen und sagen: Also, Herr Portier, wir sind so frei und setzen uns auf die Treppe. Und du selber kannst schon gar nicht in das Haus. Wenn der Schuft aus seiner Tür guckt und dich erkennt, war alles bis jetzt umsonst.«

»So meine ich's auch nicht«, antwortete Emil.

»Sondern?«, fragte der Professor.

»In dem Hotel gibt's doch einen Boy für den Lift und solche Sachen. Wenn nun jemand von uns zu ihm geht und erzählt, was los ist, na, der kennt doch das Hotel wie seine Hosentasche und weiß bestimmt einen guten Rat.«

»Gut«, sagte der Professor, »sehr gut sogar!«

»Dieser Emil! *Schlau* wie ein Berliner!«, rief Gustav.

»Bilde dir bloß nicht ein, nur ihr seid schlau!« Emil wurde fast böse. »Wir müssen überhaupt noch miteinander boxen.«

---

der Vorposten, jemand, der aufpasst
ablösen, die Arbeit übernehmen
schlau, klug

»Warum denn?«, fragte der Professor.

»Ach, er hat meinen guten Anzug schwer *beleidigt*.«

»Der Boxkampf findet morgen statt«, sagte der Professor, »morgen oder überhaupt nicht.«

5 »Er ist ja gar nicht so verrückt, der Anzug. Ich hab mich schon dran gewöhnt, Mensch«, erklärte Gustav gutmütig. »Boxen können wir aber trotzdem. Du musst aber wissen, dass ich der Champion der Landhausbande bin. Sieh dich also vor!«

10 »Und ich bin der Meister fast aller Gewichtsklassen in der Schule«, behauptete Emil.

»Schrecklich, ihr *Muskelmänner*!«, sagte der Professor.

»Eigentlich wollte ich selber hinüber ins Hotel.
15 Aber euch beide kann man ja keine Minute allein lassen.«

»Da geh eben ich!«, schlug Gustav vor.

»Richtig!«, sagte der Professor. »Und sprich mit dem Boy. Sei aber vorsichtig! Vielleicht lässt sich was
20 machen. Stelle fest, in welchem Zimmer der Kerl wohnt! In einer Stunde bist du wieder zurück.«

Gustav verschwand.

Der Professor und Emil traten vors Tor und erzählten sich von den Lehrern. Dann erklärte der Professor
25 dem anderen die verschiedenen in- und ausländischen Automarken, die vorbeifuhren. Und dann aßen sie gemeinsam ein Butterbrot.

Es war schon dunkel geworden. Überall waren Lichtreklamen. Die S-Bahn donnerte vorüber. Die U-
30 Bahn lärmte. Straßenbahnen und Autobusse, Autos

beleidigen, schlecht machen
der Muskelmann, der starke Mann

54

und Fahrräder machten ein wildes Konzert. Im Café Woerz wurde Tanzmusik gespielt. Die Kinos am Nollendorfplatz begannen mit der letzten Vorstellung. Und viele Menschen drängten hinein.

Emil fühlte sich glücklich. Und er vergaß beinahe, 5 dass ihm hundertvierzig Mark fehlten.

»Berlin ist großartig«, sagte er, »aber ich weiß nicht recht, ob ich immer hier leben möchte. In Neustadt haben wir den Obermarkt und den Niedermarkt und den Bahnhofsplatz. Und die Spielplätze am Fluss und 10 im Amselpark. Das ist alles. Trotzdem, Professor, glaube ich, mir genügt's. Hier würde ich *mich* immer wieder *verlaufen*. Überleg dir mal, wenn ich euch nicht hätte und wäre ganz allein hier! Da krieg ich gleich 'ne *Gänsehaut*.« 15

»Man gewöhnt sich dran«, sagte der Professor. »Ich würde es wahrscheinlich in Neustadt nicht aushalten, mit drei Plätzen und dem Amselpark.«

»Man gewöhnt sich dran«, sagte Emil, »aber schön ist Berlin, wunderschön.« 20

»Ist deine Mutter eigentlich sehr *streng*?«, fragte der Berliner Junge.

»Meine Mutter?«, fragte Emil, »aber keine Spur. Sie erlaubt mir alles. Aber ich tu's nicht. Verstehst du?«

»Nein«, erklärte der Professor offen, »das versteh 25 ich nicht.«

»So? Also pass mal auf. Habt ihr viel Geld?«

»Das weiß ich nicht. Wir sprechen zu Hause wenig drüber.«

»Ich glaube, wenn man zu Hause wenig über Geld 30

sich verlaufen, den falschen Weg gehen
eine Gänsehaut kriegen, Angst kriegen
streng, ernst

spricht, hat man viel davon.«

Der Professor dachte einen Augenblick nach und sagte: »Das ist schon möglich.«

»Siehst du. Wir sprechen oft drüber, meine Mutter
5 und ich. Wir haben eben wenig. Sie muss immer verdienen, und doch ist es nie genug. Aber für Schulausflüge gibt meine Mutter mir genauso viel, wie die andern auch kriegen, und manchmal sogar noch mehr.«

10 »Wie kann sie das denn?«

»Das weiß ich nicht. Aber sie kann's. Und da bring ich ihr eben die Hälfte wieder mit.«

»Will sie das?«

»Unsinn! Aber ich will's.«

15 »Aha!«, sagte der Professor, »so ist das bei euch.«

»Jawohl. So ist das. Und wenn sie mir erlaubt, bis neun Uhr abends rauszugehen, bin ich gegen sieben wieder zurück. Weil ich nicht will, dass sie allein Abendbrot isst. Dabei verlangt sie, dass ich mit den
20 andern bleiben soll. Aber das macht mir gar kein Vergnügen. Und sie freut sich ja doch, dass ich früh heimkomme.«

»Nee«, sagte der Professor. »Das ist bei uns allerdings anders. Wenn ich wirklich früh nach Hause
25 komme, sind sie im Theater oder eingeladen. Wir haben uns ja auch ganz gern. Aber wir machen wenig Gebrauch davon.«

»Es ist eben das Einzige, was *wir uns leisten* können! Deswegen bin ich aber kein Baby. Und wer das nicht
30 glaubt, den werfe ich an die Wand. Es ist eigentlich ganz leicht zu verstehen.«

---

sich etwas leisten, sich etwas erlauben

»Ich versteh es schon.«

Die zwei Jungen standen eine Zeit lang im Torbogen, ohne zu sprechen. Es wurde Nacht.

Der Professor fragte, ohne den andern anzusehen: »Da habt ihr euch wohl sehr lieb?« 5

»Sehr«, antwortete Emil.

——— Ein grüner Liftboy *erscheint* ———

Gegen zehn Uhr erschien eine Gruppe des Bereitschaftsdienstes im Hof hinter dem Kino, brachte noch einmal Butterbrote und wollte weitere Befehle haben. Der Professor war sehr böse und erklärte, sie sollten am 10 Nikolsburger Platz auf Traugott, den Melder von der Telefonzentrale warten.

»Sei nicht so *gemein*«, sagte Petzold. »Wir wollten ganz einfach wissen, wie es bei euch aussieht.«

»Und Traugott kam ja überhaupt nicht«, sagte 15 Gerold.

»Wie viele sind noch am Nikolsburger Platz?«, fragte Emil.

»Vier. Oder drei«, berichtete Friedrich der Erste.

»Es können auch nur zwei sein«, meinte Gerold. 20

»Frage sie ja nicht weiter!«, rief der Professor wütend, »sonst sagen sie noch, niemand ist mehr dort!«

erscheinen, kommen
gemein, böse

»Schrei doch nicht so«, sagte Petzold, »du hast mir nichts zu sagen.«

»Ich schlage vor, dass Petzold nach Hause geschickt wird und nicht mehr an der Jagd teilnehmen darf«, rief der Professor.

»Es tut mir Leid, dass ihr euch meinetwegen uneinig seid«, sagte Emil.

»Tut nicht so wichtig, ihr Schweinehunde! Ich gehe sowieso, dass ihr es wisst!« Dann sagte Petzold noch was schrecklich Unanständiges und ging.

»Er wollte überhaupt hierher, sonst wären wir gar nicht gekommen«, erzählte Herold. »Und Zerlett ist im Bereitschaftslager zurückgeblieben.«

»Kein Wort mehr über Petzold«, sagte der Professor und war schon wieder ganz ruhig. »Mit dem sind wir fertig.«

»Und was machen wir?«, fragte Friedrich der Erste.

»Das Beste wird sein, ihr wartet, bis Gustav aus dem Hotel kommt und Bericht gibt«, schlug Emil vor.

»Gut«, sagte der Professor. »Ist das dort nicht der Hotelboy?«

»Ja, das ist er«, meinte auch Emil.

Im Torbogen stand - in einer grünen Uniform und mit einer genauso grünen Mütze auf dem Kopf - ein Junge.

Er winkte den anderen und kam langsam näher.

»Eine feine Uniform hat er an. Donnerwetter!«, meinte Gerold.

»Bringst du von unserm Spion Gustav Nachricht?«, rief der Professor.

Der Boy war schon ganz nahe, nickte und sagte: »Jawohl.«

»Also bitte schön, was gibt's«, fragte Emil.

Da hupte es plötzlich! Und der grüne Boy sprang wie verrückt hin und her und lachte. »Emil, Mensch!«, rief er, »bist du aber dumm!«

Es war nämlich gar nicht der Boy, sondern Gustav selber.

»Du *grüner Junge*!«, schimpfte Emil zum Spaß. Da lachten die andern auch. Bis jemand ein Fenster aufmachte und »Ruhe!« schrie.

»Großartig!«, sagte der Professor. »Aber leiser, meine Herren. Komm her Gustav, setz dich und erzähle.«

»Mensch, ganz wie im Theater. Also, hört zu! Ich schleiche ins Hotel, sehe den Boy und winke ihm zu. Er kommt zu mir, na, und ich erzähle ihm unsere ganze Geschichte. Von A bis Z. Und dass der Dieb in dem Hotel wohnt. Und dass wir sehr aufpassen müssen, damit wir morgen das Geld wiederkriegen.

Sehr hübsch, sagte der Boy, ich hab noch eine Uniform. Die ziehst du an und bist der zweite Boy.

Aber was wird denn der Portier dazu sagen?, geb ich zur Antwort.

Der erlaubt es, sagt er, denn der Portier ist mein Vater.

Was er seinem Vater gesagt hat, weiß ich nicht. Jedenfalls kriegte ich die Uniform hier, darf übernachten und sogar noch jemanden mitbringen. Na, was sagt ihr nun?«

»In welchem Zimmer wohnt der Dieb?«, fragte der Professor.

»Dir kann man aber auch gar nicht imponieren«, sagte Gustav. »Ich habe natürlich keine Arbeit. Der

_____

| *grüner Junge*, dummer Junge

Boy *vermutete*, der Dieb wohne auf Zimmer 61. Ich also rauf in die dritte Etage. Und Spion gespielt. Nach einer halben Stunde oder so geht auch richtig die Tür von 61 auf. Und wer kommt raus? Unser Herr Dieb! Er
5 *musste mal* - na ja, ihr wisst schon. Er war's! Wie er wieder zurückkommt, von - na ja, ihr wisst schon! -, da laufe ich ihm vor die Beine und frage: Suchen der Herr was? Haben der Herr Gast einen Wunsch?

Nein, sagt er, ich brauche nichts. Oder doch! Melde
10 dem Portier, er soll mich morgen früh um acht Uhr wecken lassen. Zimmer 61. Vergiss es aber nicht!

Nein, darauf können sich der Herr verlassen, sag ich. Punkt acht klingelt auf Zimmer 61 das Telefon!«

»Ausgezeichnet!« Der Professor war nun ganz zufrie-
15 den und die andern erst recht. »Um acht Uhr wird er vor dem Hotel erwartet. Dann geht die Jagd weiter. Und dann wird er geschnappt.«

»Der ist so gut wie fertig«, rief Gerold.

»Und nun gehe ich«, sagte Gustav. »Ich muss für
20 Zimmer 12 einen Breif in den Kasten werfen. Fünfzig Pfennig Trinkgeld. Also, gegen sieben Uhr steh ich auf und sehe nach, dass unser Schuft pünktlich geweckt wird. Und dann bin ich wieder hier.«

»Lieber Gustav, ich bin dir dankbar«, meinte Emil.
25 »Nun kann nichts mehr passieren. Morgen wird er geschnappt. Und jetzt können alle ruhig schlafen gehen, was Professor?«

»Jawohl. Alle gehen jetzt und schlafen sich aus. Und morgen früh, um acht Uhr, sind alle wieder hier.

---

vermuten, denken, annehmen
mal müssen, auf die Toilette gehen

Wer noch Geld mitbringen kann, tut's. Ich rufe jetzt den kleinen Dienstag an. Er soll die andern morgen wieder als Bereitschaftsdienst versammeln.«

»Ich gehe mit Gustav ins Hotel schlafen«, sagte Emil.

»Los, Mensch! Es wird dir großartig gefallen!«

»Ich telefoniere erst noch«, sagte der Professor. »Dann gehe ich auch nach Hause und schicke Zerlett heim. Der sitzt sonst bis morgen früh am Nikolsburger Platz und wartet. Ist alles klar?«

»Jawohl, Herr Polizeipräsident«, lachte Gustav.

»Morgen früh um acht Uhr hier im Hof«, sagte Gerold.

»Bisschen Geld mitbringen«, erinnerte Friedrich der Erste.

Man verabschiedete sich. Die einen marschierten heim. Gustav und Emil zogen ins Hotel. Der Professor ging über den Nollendorfplatz, um vom Café den kleinen Dienstag anzurufen. Und eine Stunde später schliefen alle. Die meisten in ihren Betten. Zwei im vierten Stock des Hotel Kreid.

Und einer neben dem Telefon, auf Vaters Stuhl. Das war der kleine Dienstag. Er verließ seinen Posten nicht. Traugott war nach Hause gegangen. Der kleine Dienstag aber schlief auf dem Stuhl neben dem Telefon und träumte von vier Millionen Telefongesprächen.

Um Mitternacht kamen seine Eltern aus dem Theater heim. Sie wunderten sich nicht wenig, als sie ihren Sohn auf dem Stuhl erblickten.

Die Mutter nahm ihn hoch und trug ihn in sein Bett. Er murmelte dabei im Schlaf: »Parole Emil!«

___ Herr Grundeis kriegt eine *Ehrengarde* ___

Die Fenster des Zimmers 61 gingen auf den Nollendorfplatz. Und als Herr Grundeis am nächsten Morgen, während er sich die Haare kämmte, hinuntersah,
fiel ihm auf, dass dort viele Kinder waren. Mindestens
zwei Dutzend Jungen spielten gegenüber, vor den 5
Anlagen, Fußball. Andere standen an der Kleiststraße.
Auch am U-Bahnhof standen Kinder.

»Wahrscheinlich Ferien«, sagte er und band sich die
Krawatte um.

Inzwischen hielt der Professor im Hof eine Ver- 10
sammlung ab und schimpfte: »Da überlegt man sich,
wie man den Mann schnappen kann, und ihr Idioten
mobilisiert ganz Berlin! Brauchen wir vielleicht
Zuschauer? Machen wir einen Film? Wenn der Kerl
uns *entwischt*, seid ihr dran schuld, ihr *Klatschtanten*!« 15

Die andern standen zwar geduldig im Kreise, und
Gerold meinte: »Immer ruhig, Professor. Wir kriegen
den Dieb so oder so.«

»Macht, dass ihr rauskommt! Und gebt Befehl, dass
die Bande wenigstens nicht nach dem Hotel hinsieht. 20
Verstanden? Vorwärts marsch!«

Die Jungen gingen weg. Und nur die Detektive blie-
ben im Hof zurück.

»Schick doch einfach die Kinder draußen nach
Hause«, schlug Krummbiegel vor. 25

»Glaubst du denn wirklich, dass sie gehen? Und

---

die Ehrengarde, die Begleitung für eine hohe Persönlichkeit
entwischen, verschwinden
die Klatschtante, jemand, der alles erzählt

wenn der Nollendorfplatz explodiert, die bleiben«, sagte der Professor.

»Da hilft nur eins«, meinte Emil. »Wir müssen unsern Plan ändern. Wir können den Grundeis nicht 5 mehr mit Spionen *umringen*, sondern wir müssen ihn richtig jagen. Von allen Seiten und mit allen Kindern.«

»Das hab ich mir auch schon gedacht«, erklärte der Professor. »Wir jagen ihn, bis er nicht mehr kann.«

»Wunderbar«, schrie Gerold.

10 »Er wird lieber das Geld wieder hergeben, als stundenlang etwa hundert schreiende Kinder hinter sich her zu haben, bis die ganze Stadt ankommt, und die Polizei ihn schnappt«, meinte Emil.

Die andern nickten klug. Da klingelte es. Und Pony 15 Hütchen radelte in den Hof. »Morgen, ihr Banditen«, rief sie, begrüßte Vetter Emil, den Professor und die Übrigen und holte dann einen kleinen Korb, den sie mit hatte. »Ich bringe euch nämlich Kaffee und ein paar Butterbrötchen! Sogar eine saubere Tasse habe 20 ich.«

Die Jungen hatten zwar alle gefrühstückt. Auch Emil schon, im Hotel Kreid. Aber trotzdem tranken sie aus der Tasse Milchkaffee und aßen Brötchen, als hätten sie vier Wochen nichts gekriegt.

25 »Das schmeckt ja großartig!«, rief Krummbiegel.

»Und die Semmeln sind wunderbar«, sagte der Professor.

»Nicht wahr?«, fragte Pony. »Ja, ja, es ist eben doch was andres, wenn eine Frau im Hause ist!«

30 »Im Hofe«, sagte Gerold.

»Wie geht's in der Schumannstraße?«, fragte Emil.

---

umringen, umgeben, einkreisen

»Es geht. Und einen besonderen Gruß von der Großmutter. Du sollst bald kommen, sonst kriegst du zur Strafe jeden Tag Fisch.«

»Pfui Teufel«, murmelte Emil und verzog das Gesicht. 5

»Warum pfui Teufel?«, fragte Mittenzwey der Jüngere. »Fisch ist doch was Feines.« Alle sahen ihn erstaunt an, denn er sagte sonst nie was. Er wurde auch sofort rot und versteckte sich hinter seinem großen Bruder. 10

»Emil mag nämlich keinen Fisch«, erzählte Pony Hütchen.

So *plauderten* sie und waren guter Laune. Pony Hütchen hüpfte im Hof umher, sang ein Lied und erzählte alles Mögliche. 15

»Halt«, rief sie plötzlich, »ich wollte doch noch was fragen. Was wollen denn die vielen Kinder auf dem Nollendorfplatz? Das sieht ja aus wie ein Schulausflug!«

»Das sind Neugierige. Und nun wollen sie dabei sein«, erklärte der Professor. 20

Da kam Gustav durchs Tor gerannt, hupte laut und rief: »Los! Er kommt!« Alle wollten davonlaufen.

»Achtung! Zuhören!«, schrie der Professor. »Wir verden ihn also einkreisen. Hinter ihm Kinder, vor ihm Kinder, links Kinder, rechts Kinder! Ist das klar? 25 Marsch und raus!«

Sie liefen, rannten und drängten durchs Tor. Pony Hütchen setzte sich dann auf ihr kleines, ganz neues Rad, sagte wie ihre eigene Großmutter: »Die Sache gefällt mir nicht. Die Sache gefällt mir nicht!«, und 30 fuhr hinter den Jungen her.

| *plaudern*, freundlich miteinander reden

Der Mann im steifen Hut trat gerade aus der Hotel-
tür, stieg langsam die Treppe herunter und wandte sich
nach rechts, der Kleiststraße zu. Der Professor, Emil
und Gustav jagten ihre Melder zwischen den Kindern
5 hin und her. Und drei Minuten später war Herr
Grundeis umringt.

Er sah sich verwundert nach allen Seiten um. Die
Jungen unterhielten sich, lachten und *hielten gleichen
Schritt* mit ihm.

10 Sssst! Flog ein Ball dicht an seinem Kopf vorbei. Er
nahm den Kopf zur Seite und ging schneller. Doch nun
liefen die Jungen ebenfalls rascher. Er wollte flink in
eine Seitenstraße hineingehen. Doch da kamen auch
schon Kinder von dort.

15 »Lauf ein bisschen vor mir«, rief Emil, »mich
braucht er jetzt noch nicht zu erkennen. Das kann er
noch früh genug.« Gustav machte sich breit wie ein
Boxer und ging vor Emil her. Pony Hütchen fuhr
neben ihnen her und klingelte vergnügt.

20 Der Mann im steifen Hut wurde deutlich nervös. Er
ahnte dunkel, was kommen würde, und machte große
Schritte. Aber es war umsonst.

Plötzlich blieb er stehen, drehte sich um und lief die
Straße, die er gekommen war, wieder zurück. Da dreh-
25 ten sich auch sämtliche Kinder um und gingen wieder
neben ihm her.

Da lief ein Junge - es war Krummbiegel - dem Mann
vor die Beine, dass er *stolperte.*

»Was fällt dir ein?«, schrie er. »Ich werde gleich

gleichen Schritt halten, im gleichen Tempo gehen
stolpern, ausgleiten

66

einen Polizisten rufen!«

»Ach ja, bitte, tun Sie das mal!«, rief Krummbiegel. »Darauf warten wir schon lange. Na, rufen Sie ihn doch!«

Herr Grundeis dachte aber nicht daran. *Ihm wurde* 5 *die Geschichte* immer *unheimlicher.* Er bekam wirklich Angst und wusste nicht mehr, wohin. Schon sahen Leute aus allen Fenstern und fragten, was los wäre. Wenn jetzt ein Polizist kam, war's aus.

Da erblickte der Dieb eine Filiale der Commerz- und 10 Privatbank. Er eilte auf die Tür zu und verschwand.

Der Professor sprang vor die Tür und brüllte: »Gustav und ich gehen hinterher! Wenn Gustav hupt, kann's losgehen! Dann kommt Emil mit zehn Jungen hinein. Nimm aber die Richtigen, Emil. Es wird eine 15 schwere Sache!«

Dann verschwanden auch Gustav und der Professor hinter der Tür.

Emil rief Krummbiegel, Gerold, die Brüder Mitten-zwey und noch ein paar andere zu sich und ordnete an, 20 dass die anderen *sich zerstreuten.*

Die Kinder gingen auch ein paar Schritte von der Bank fort, aber nicht weit. Was nun geschah, wollten sie alle sehen.

Pony Hütchen gab einem Jungen ihr Rad, trat zu 25 Emil und sagte: »Da bin ich. Kopf hoch. O Gott, ich bin *gespannt. Wie ein Regenschirm.*«

»Denkst du vielleicht, ich nicht?«, fragte Emil.

ihm wurde die Geschichte unheimlich, er wurde nervös
sich zerstreuen, auseinander gehen
gespannt wie ein Regenschirm sein, sehr an etwas interessiert sein

Als Gustav und der Professor die Bank betraten, stand
der Herr im steifen Hut bereits am Schalter mit der
Aufschrift: »Ein- und Auszahlungen« und wartete
ungeduldig. Der Bankkassierer telefonierte.

5   Der Professor stellte sich neben den Dieb und passte
auf. Gustav blieb hinter dem Mann stehen und hielt
die Hand zum Hupen fertig in der Hosentasche.

Dann kam der Kassierer an den Schalter und fragte
den Professor, was er wollte.

10   »Bitte sehr«, sagte der, »der Herr war vor mir da.«

»Sie wünschen?«, fragte der Kassierer nun Herrn
Grundeis.

»Wollen Sie mir, bitte schön, einen Hundertmarkschein in zwei Fünfziger umtauschen und für vierzig

15   Mark Silber geben?«, fragte dieser und legte einen
Hundertmarkschein und zwei Zwanzigmarkscheine auf
den Tisch.

Der Kassierer nahm die drei Scheine und ging damit
zum Geldschrank.

20   »Einen Moment!«, rief da der Professor laut, »das
Geld ist gestohlen!«

»Waaas?«, fragte der Bankkassierer erschrocken; seine Kollegen in den anderen Abteilungen fuhren hoch.

»Das Geld hat er einem Freund von mir gestohlen

25   und will es nur umtauschen, damit man ihm nichts
beweisen kann«, erklärte der Professor.

»So eine Frechheit ist mir in meinem ganzen Leben
noch nicht vorgekommen«, sagte Herr Grundeis und
fuhr zum Kassierer gewandt fort: »Entschuldigen Sie!«

und gab dem Professor eine *Ohrfeige*.

»Dadurch wird die Sache auch nicht anders«, meinte der Professor und gab Grundeis *einen Magenstoß*,
dass der Mann sich am Tisch festhalten musste. Und
5 jetzt hupte Gustav dreimal schrecklich laut. Die Bank-
leute sprangen auf und liefen neugierig nach dem Kas-
senschalter. Der Herr Kassenvorsteher kam zornig aus
seinem Zimmer.

Und - zehn Jungen kamen hereingerannt, Emil
10 zuerst, und umringten den Mann mit dem steifen Hut.

»Was zum Donnerwetter ist denn hier los?«, schrie
der Vorsteher.

»Die *Bengel* behaupten, ich hätte einem von ihnen
das Geld gestohlen, das ich eben zum Wechseln ein-
15 zahlte«, erzählte Herr Grundeis.

»So ist es auch!«, rief Emil und sprang an den Schalter. »Einen Hundertmarkschein und zwei Zwanzigmarkscheine. Gestern Nachmittag. Im Zug. Während
ich schlief.«

20 »Ja, kannst du das denn auch beweisen?«, fragte der
Kassierer streng.

»Ich bin seit einer Woche in Berlin und war gestern
von früh bis abends in der Stadt«, sagte der Dieb und
lächelte höflich.

25 »So ein verdammter Lügner!«, schrie Emil und
weinte fast vor Wut.

»Kannst du denn beweisen, dass dieser Herr hier der
Mann ist, mit dem du im Zuge saßt«, fragte der Vorsteher, »denn wenn du allein mit ihm im Zug warst, hast

---

die Ohrfeige, ein Schlag mit der Hand aufs Ohr
der Magenstoß, jemanden in den Magen schlagen
der Bengel, der ungezogene Junge

du doch keinen einzigen *Zeugen*.« Emils Kameraden machten dumme Gesichter.

»Doch!«, rief Emil, »doch! Ich hab doch einen Zeugen! Frau Jakob aus Groß-Grünau. Sie stieg später aus. Und ich sollte Herrn Kurzhals in Neustadt von ihr grüßen!« 5

»Es scheint, Sie werden ein Alibi erbringen müssen«, sagte der Kassenvorsteher zu dem Dieb. »Können Sie das?«

»Selbstverständlich«, erklärte der. »Ich wohne drüben im Hotel Kreid ...« 10

»Aber erst seit gestern abend«, rief Gustav, »ich habe mich dort als Liftboy eingeschlichen und weiß Bescheid, Mensch!«

»Wir werden das Geld am besten vorläufig hierbehalten, Herr ...« sagte der Vorsteher und wollte Namen und Adresse notieren. 15

»Grundeis heißt er!«, rief Emil.

Der Mann im steifen Hut lachte laut und sagte: »Da sehen Sie, dass es sich um eine Verwechslung handelt. Ich heiße Müller.« 20

»Oh, wie gemein er lügt! Mir hat er im Zug erzählt, dass er Grundeis heißt«, schrie Emil.

»Haben Sie Ihren *Ausweis* dabei«, fragte der Kassierer. 25

»Leider nicht bei mir«, sagte der Dieb, »aber ich kann ihn gleich aus dem Hotel herüberholen.«

»Der Kerl lügt! Und es ist mein Geld. Und ich muss es wiederhaben«, rief Emil.

»Ja«, sagte der Kassierer, »so leicht geht das nicht! 30

der Zeuge, jemand, der dabei war
der Ausweis, die Legitimation

71

Wie kannst du denn beweisen, dass es dein Geld ist? Hast du dir die Nummern gemerkt?«

»Natürlich nicht«, sagte Emil. »Aber es ist doch mein Geld. Und meine Mutter hat es mir für die Groß-
5 mutter mitgegeben. Die wohnt hier in der Schumann-straße 15.«

»War an einem der Scheine eine Ecke abgerissen, oder war sonst etwas nicht in Ordnung?«

»Nein, ich weiß nicht.«

10 »Also, meine Herren: das Geld gehört wirklich mir. Ich werde doch keine kleinen Kinder berauben!«, behauptete der Dieb.

»Halt!«, schrie Emil plötzlich und sprang in die Luft, »halt! Ich habe mir im Zug das Geld mit einer
15 Nadel in der Jacke festgesteckt. Und da müssen Nadel-stiche in den drei Scheinen sein!«

Der Kassierer hielt das Geld gegen das Licht. Die anderen hielten die Luft an.

»Der Junge hat recht«, schrie der Kassierer, »in den
20 Scheinen sind wirklich Nadelstiche!«

»Und hier ist auch die Nadel dazu«, sagte Emil und legte die Nadel auf den Tisch.

Da drehte sich der Dieb blitzschnell um, stieß die Jungen links und rechts zur Seite, dass sie hinfielen,
25 rannte durch den Raum, riss die Tür auf und war weg.

»Ihm nach!«, schrie der Bankvorsteher.

Alles lief nach der Tür.

Als man auf die Straße kam, war der Dieb schon von mindestens zwanzig Jungen *umklammert*. Sie hielten
30 ihn an den Beinen. Sie hingen an seinen Armen, an

| *umklammern*, festhalten

seinem Jackett. Er kämpfte wie wild. Aber die Jungen ließen ihn nicht los.

Und dann kam auch schon ein Polizist, den Pony Hütchen mit ihrem kleinen Rad geholt hatte. Und der Bankvorsteher forderte ihn auf, den Mann, der sowohl Grundeis wie auch Müller hieß, zu *verhaften*. Denn er sei wahrscheinlich ein Eisenbahndieb.

Der Kassierer holte das Geld und die Nadel und ging mit. Na, es war ein feiner *Aufzug*! Der Polizist, der Kassierer, der Dieb in der Mitte, und hinterher neunzig bis hundert Kinder! So zogen sie zur *Wache*.

Pony Hütchen rief: »Emil, mein Junge! Ich fahre schnell nach Hause und erzähle dort die ganze Geschichte.«

Der Junge nickte und sagte: »Zum Mittagessen bin ich zu Hause! Grüß schön!«

Pony Hütchen rief noch: »Wisst ihr, wie ihr ausseht? Wie ein großer Schulausflug!« Dann bog sie heftig klingelnd um die Ecke.

verhaften, von der Polizei festnehmen
der Aufzug, die Prozession
die Wache, die Polizeistation

73

Emil besucht das Polizeipräsidium

Der Zug marschierte zur nächsten Polizeiwache. Der Polizist meldete einem Wachtmeister, was geschehen war. Emil musste dann sagen, wann und wo er geboren wurde, wie er heiße und wo er wohne. Und der Wacht-
5 meister schrieb alles auf.

»Und wie heißen Sie?«, fragte er den Dieb.

»Herbert Kießling«, sagte der Kerl.

Da mussten die Jungen - Emil, Gustav und der Professor - laut lachen. Und der Kassierer auch.

10 »Mensch!«, rief Gustav. »Erst hieß er Grundeis. Dann Müller. Jetzt heißt er Kießling! Nun bin ich bloß gespannt, wie er in Wirklichkeit heißt!«

»Ruhe!«, knurrte der Wachtmeister. »Das kriegen wir auch noch raus.«

15 Herr Grundeis-Müller-Kießling nannte dann seine augenblickliche Adresse, das Hotel Kreid. Dann den Geburtstag und seine Heimat, seinen Ausweis habe er nicht dabei.

»Und wo waren Sie bis gestern?« fragte der Wacht-
20 meister.

»In Groß-Grünau«, erklärte der Dieb.

»Das ist bestimmt schon wieder gelogen«, rief der Professor.

»Ruhe!«, knurrte der Wachtmeister. »Das kriegen
25 wir auch noch raus.«

Der Kassierer durfte nun gehen. Er klopfte Emil freundlich auf die Schulter und verschwand.

»Haben Sie gestern dem Realschüler Emil Tischbein aus Neustadt im Berliner Zuge hundertvierzig
30 Mark gestohlen, Kießling?«, fragte der Wachtmeister.

»Jawohl«, sagte der Dieb. »Der Junge lag in der Ecke

und schlief. Und da fiel ihm das Kuvert heraus. Und da hob ich es auf und wollte bloß mal nachsehen, was drin war. Und weil ich gerade kein Geld hatte ...«

»So ein Schwindler!«, rief Emil. »Ich hatte das Geld in der Jackentasche festgesteckt. Es konnte gar nicht herausfallen!« 5

»Und so nötig hat er's bestimmt nicht gebraucht. Sonst hätte er Emils Geld nicht noch *vollzählig* in der Tasche gehabt. Er hat inzwischen Auto und Bouillon und Bier bezahlen müssen,« bemerkte der Professor. 10

»Ruhe!«, knurrte der Wachtmeister. »Das kriegen wir auch noch raus.«

Und er notierte alles, was erzählt wurde.

»Könnten Sie mich vielleicht freilassen, Herr Wachtmeister?«, fragte der Dieb sehr höflich. »Ich 15 habe den Diebstahl ja zugegeben. Und wo ich wohne, wissen Sie auch. Ich habe in Berlin zu tun.«

»Hier möcht ich beinahe lachen!«, sagte der Wachtmeister und rief das Polizeipräsidium an: es solle einen Wagen schicken; ein Eisenbahndieb sei 20 gefasst worden.

»Wann kriege ich denn mein Geld?«, fragte Emil.

»Im Polizeipräsidium«, sagte der Wachtmeister. »Ihr fahrt jetzt gleich hinüber.«

»Emil, Mensch, nun musst du in der *Grünen Minna* 25 zum Alexanderplatz!«, flüsterte Gustav.

»Unsinn«, sagte der Wachtmeister. »Du fährst mit der U-Bahn zum Alexanderplatz und meldest dich bei Kriminalwachtmeister Lurje. Dein Geld kriegst du dort auch wieder.« 30

---

vollzählig, alles
die Grüne Minna, der Polizeiwagen

Wenige Minuten später kam das Kriminalauto. Und Herr Grundeis-Müller-Kießling musste einsteigen. Der Wachtmeister gab einem Polizisten, der im Wagen saß, den schriftlichen Bericht und die hundertvierzig Mark.
5 Die Nadel auch. Und dann fuhr die Grüne Minna fort. Die Kinder auf der Straße schrien hinter dem Dieb her. Aber der rührte sich nicht.

Emil gab dem Wachtmeister die Hand und bedankte sich. Dann teilte der Professor den Kindern, die
10 gewartet hatten, mit, das Geld kriege Emil am Alex, und die Jagd wäre vorüber. Da zogen die Kinder wieder heim. Nur der Professor und Gustav brachten Emil zum Bahnhof Nollendorfplatz. Er dankte ihnen schon jetzt von ganzem Herzen für ihre Hilfe. Und das Geld
15 bekämen sie auch wieder.

»Wenn du es wagst, uns das Geld wiederzugeben«, rief Gustav, »müssen wir doch boxen!«

»Ach, Mensch!«, sagte Emil und fasste Gustav und den Professor an den Händen, »ich bin so guter Lau-
20 ne!«

Und dann fuhren die drei zum Alexanderplatz ins Polizeipräsidium und fanden schließlich den Kriminalwachtmeister Lurje.

»Aha!«, sagte Herr Lurje. »Emil Stuhlbein. Ama-
25 teurdetektiv. Schon gemeldet. Der Kriminalkommissar wartet. Komm mal mit!«

»Tischbein heiß ich«, korrigierte Emil.

»Auch gut«, sagte Herr Lurje.

»Wir warten auf dich«, meinte der Professor. Und
30 Gustav rief Emil nach: »Mach schnell, Mensch!«

Herr Lurje spazierte durch mehrere Gänge. Dann klopfte er an eine Tür. Eine Stimme rief: »Herein!« Lurje öffnete die Tür ein wenig und sagte: »Der kleine

Detektiv ist da, Herr Kommissar. Emil Fischbein, Sie wissen schon.«

»Tischbein heiß ich«, erklärte Emil.

»Auch 'n ganz hübscher Name«, sagte Herr Lurje und gab Emil einen Stoß, dass er in das Zimmer flog. 5

Der Kriminalkommissar war ein netter Herr. Emil musste sich setzen und die Diebsgeschichte von Anfang an erzählen. Zum Schluss sagte der Kommissar: »So, und nun bekommst du auch dein Geld wieder.«

»Gott sei Dank!«, Emil steckte das Geld in die 10 Tasche. Und zwar besonders vorsichtig.

»Lass dir's aber nicht wieder stehlen!«

»Nein! Ausgeschlossen! Ich bring's gleich zur Groß-mutter!«

»Wunderbar habt ihr das gemacht, ihr Jungen«, 15 meinte der Kommissar.

»Was wird nun aus dem Grundeis oder wie mein Dieb sonst heißt?«, fragte Emil.

»Der wird fotografiert. Und seine Fingerabdrücke werden genommen. Nachher sehen wir nach, ob er 20 schon gesucht wird. Denn es wäre ja möglich, dass der Mann auch noch andere Diebstähle und Einbrüche ausführte, nicht wahr?«

»Das stimmt. Daran habe ich noch gar nicht gedacht«, sagte Emil. 25

»Moment«, sagte der nette Kommissar. Denn das Telefon klingelte. »Jawohl ... interessante Sache für Sie ... kommen Sie doch mal in mein Zimmer ...« sprach er in den Apparat. Dann hängte er ab und sag-te: »Jetzt werden gleich ein paar Herren von der Zei- 30 tung kommen und dich interviewen.«

»Was ist denn das?«, fragte Emil.

»Interviewen heißt ausfragen.«

»Nicht möglich!«, rief Emil. »Da komme ich sogar in die Zeitung?«

»Wahrscheinlich«, sagte der Kommissar. »Wenn ein Realschüler einen Dieb fängt, wird er eben berühmt.«
5 Dann klopfte es. Und vier Herren traten ins Zimmer. Der Kommissar gab ihnen die Hand und erzählte kurz Emils Erlebnisse. Die vier Herren schrieben fleißig nach.

»Wunderbar!«, sagte zum Schluss einer der Reporter. »Der Junge vom Lande als Detektiv.«

»Warum bist du nicht sofort zu einem der Polizisten gegangen und hast ihm alles gesagt?«, fragte einer.

Emil bekam es mit der Angst. Er dachte an Wachtmeister Jeschke in Neustadt.

»Na?«, sagte der Kommissar. 5

Da sagte Emil schließlich: »Weil ich dem Denkmal vom Großherzog in Neustadt eine rote Nase und einen Schnurrbart angemalt habe. Bitte, verhaften Sie mich, Herr Kommissar!«

Da lachten die Herren. Und der Kommissar rief: 10 »Aber Emil, wir werden doch nicht unsern besten Detektiv ins Gefängnis stecken!«

»Nein? Wirklich nicht? Na, da bin ich aber froh«, sagte der Junge erleichtert. Dann ging er auf einen der Reporter zu und fragte: »Kennen Sie mich denn nicht 15 mehr? Sie haben mir doch gestern auf der Linie 177 das Straßenbahnbillett bezahlt, weil ich kein Geld hatte. Wollen Sie es jetzt wieder haben?«

»Aber nein«, sagte der Herr und stellte sich vor: »Ich heiße Kästner«. Dann sagte er: »Hör mal, Emil, 20 kommst du ein bisschen zu mir auf die Redaktion? Vorher essen wir irgendwo Kuchen mit Schlagsahne.«

»Sehr gern«, sagte Emil. »Aber der Professor und Gustav warten draußen auf mich.«

»Die nehmen wir selbstverständlich mit«, erklärte 25 Herr Kästner.

Dann verabschiedete man sich. Und Emil ging mit Herrn Kästner zu Kriminalwachtmeister Lurje zurück. Der sagte: »Aha, der kleine Überbein!«

»Tischbein«, sagte Emil. 30

Dann fuhren Herr Kästner, Emil, der Professor und Gustav in einem Auto erst mal in eine Konditorei. Dort aßen sie Kuchen mit viel Schlagsahne und

erzählten, was ihnen gerade einfiel: von dem Kriegsrat am Nikolsburger Platz, von der Autojagd, von der Nacht im Hotel, von Gustav als Liftboy, von dem Skandal in der Bank. Und Herr Kästner sagte zum
5 Schluss: »Ihr seid wirklich drei *Prachtkerle*.«

Und da wurden sie sehr stolz auf sich selbst.

Nachher stiegen Gustav und der Professor in einen Autobus, und Emil und Herr Kästner fuhren in die Redaktion.

10 Das Zeitungsgebäude war sehr groß. Fast so groß wie das Polizeipräsidium am Alex. Sie kamen in ein Zimmer, in dem ein hübsches, blondes Fräulein saß. Und Herr Kästner lief im Zimmer auf und ab und diktierte dem Fräulein das, was Emil erzählt hatte. Manchmal
15 blieb er stehen und fragte Emil: »Stimmt's?« Und wenn Emil genickt hatte, diktierte Herr Kästner weiter.

Dann rief er noch einmal den Kriminalkommissar an. »Was sagen Sie?«, rief Herr Kästner. »Na, das ist ja großartig ... Das wird eine große Sensation ...«
20 Er sagte: »Emil, wir müssen dich fotografieren lassen!«

»Nanu«, meinte Emil erstaunt. Er fuhr mit Herrn Kästner drei Etagen höher, kämmte sich noch erst die Haare, und dann wurde er fotografiert.
25 Nachher fuhren sie mit dem Lift hinunter und traten vor das Haus. Herr Kästner steckte Emil in eine Droschke, gab dem Fahrer Geld und sagte: »Fahren Sie meinen kleinen Freund in die Schumannstraße 15.«

Sie schüttelten sich die Hände, und dann sagte Herr
30 Kästner noch: »Lies heute Nachmittag die Zeitung! Du wirst dich wundern, mein Junge.«

| *der Prachtkerl*, der prächtige Junge

Emil drehte sich um und winkte. Und Herr Kästner winkte auch.

Dann fuhr das Auto um eine Ecke.

__ Der Kriminalkommissar lässt grüßen __

Das Automobil war schon Unter den Linden. Da klopfte Emil dreimal an die Scheibe. Der Wagen hielt. 5

»Es tut mir Leid«, sagte Emil, »aber ich muss erst noch nach der Kaiserallee ins Café Josty. Dort liegt nämlich ein Blumenstrauß für meine Großmutter. Mein Koffer auch.«

»Hast du denn Geld, wenn das, was ich habe, nicht 10 reicht?«, fragte der Chauffeur.

»Ich habe Geld, Herr Chauffeur. Und ich muss die Blumen haben.«

»Na schön«, sagte der Mann, und dann fuhren sie zum Café Josty. Emil stieg aus, bekam vom Fräulein am 15 Büfett die Sachen, bedankte sich, kletterte wieder ins Auto und sagte: »So, Herr Chauffeur, und nun zur Großmutter!«

Sie *kehrten um*, fuhren den weiten Weg zurück, über die Spree, durch ganz alte Straßen mit grauen Häusern. 20 Und dann bremste der Chauffeur. Das Auto hielt. Es war Schumannstraße 15.

»Bekommen Sie noch Geld von mir?«, fragte Emil und stieg aus.

»Nein. Du kriegst aber noch dreißig Pfennige von 25 mir.«

»Aber nein!«, rief Emil. »Die behalten Sie mal.«

| *umkehren*, hier: umdrehen

»Danke, mein Junge«, sagte der Chauffeur und fuhr weiter.

Nun stieg Emil in die dritte Etage und klingelte bei Heimbolds. Dann wurde geöffnet, und die Großmutter stand da, gab ihm einen Kuss auf die linke Backe, zog ihn an den Haaren in die Wohnung und rief: »O du Schuft, o du Schuft!«

»Schöne Sachen hört man ja von dir«, sagte Tante Martha freundlich und gab ihm die Hand. Und Pony Hütchen hielt ihm den Arm hin und sagte: »Vorsicht! Ich habe nasse Hände. Ich wasche nämlich ab. Wir armen Frauen!«

Nun gingen alle in die Stube. Emil musste sich aufs Sofa setzen. Und die Großmutter und Tante Martha betrachteten ihn.

»Hast du das Geld?«, fragte Pony Hütchen.

»Klar!« meinte Emil, holte die drei Scheine aus der Tasche, gab der Großmutter hundertzwanzig Mark und sagte: »Hier, Großmutter, das ist das Geld. Und Mutter lässt herzlich grüßen. Und du sollst nicht böse sein, dass sie in den letzten Monaten nichts geschickt hat. Dafür ist es diesmal mehr als sonst.«

»Ich danke dir schön, mein gutes Kind«, antwortete die alte Frau, gab ihm den Zwanzigmarkschein zurück und sagte: »Der ist für dich! Weil du ein so tüchtiger Detektiv bist.«

»Nein, das nehme ich nicht an. Ich habe ja von Mutter noch zwanzig Mark in der Tasche.«

»Emil, man muss seiner Großmutter folgen. Marsch, steck das Geld ein!«

»Nein, ich nehme es nicht.«

»Menschenskind!«, rief Pony Hütchen. »Das ließe ich mir nicht zweimal sagen!«

»Schnell, steck das Geld weg!«, sagte Tante Martha und schob ihm den Schein in die Tasche.

»Ja, wenn ihr es so wollt«, jammerte Emil. »Ich danke auch schön, Großmutter.«

»Ich habe zu danken, ich habe zu danken«, antwortete sie und fuhr Emil übers Haar.

Dann überreichte Emil den Blumenstrauß. Aber als man die Blumen aus dem Papier gewickelt hatte, wusste man nicht, ob man lachen oder weinen sollte.

»Sie haben seit gestern Nachmittag kein Wasser mehr gehabt«, erklärte Emil traurig. »Als wir sie gestern kauften, waren sie noch ganz frisch.«

»Vielleicht werden sie wieder frisch«, tröstete Tante Martha. »So, nun wollen wir zu Mittag essen. Pony, deck den Tisch!«

»Jawohl«, sagte das kleine Mädchen. »Emil, was isst du am liebsten?«

»Makkaroni mit Schinken.«

»Na, dann weißt du ja, was es gibt!«

Eigentlich hatte Emil schon am Tage vorher Makkaroni mit Schinken gegessen. Aber erstens verträgt man sein Lieblingsessen fast alle Tage. Und zweitens kam es Emil so vor, als wäre seit dem letzten Mittag in Neustadt bei der Mutter mindestens eine Woche vergangen.

Nach dem Essen liefen Emil und Hütchen ein bisschen auf die Straße, weil der Junge Ponys kleines, ganz neues Rad probieren wollte. Großmutter legte sich aufs Sofa. Und Tante Martha machte einen Apfelkuchen im Ofen.

Emil radelte durch die Schumannstraße. Dann musste er absteigen, und Pony Hütchen fuhr ihm Kreise, Dreien und Achten vor.

Da kam ein Polizist auf sie zu, der eine Mappe trug, und fragte: »Kinder, hier in Nummer 15 wohnen doch Heimbolds?«

»Jawohl«, sagte Pony, »das sind wir.«

5 »Ist es was Schlimmes?«, fragte Emil. Er musste noch immer an den Wachtmeister Jeschke denken.

»Ganz im Gegenteil. Bist du der Schüler Emil Tischbein?«

»Jawohl.«

10 »Na, da kannst du dir aber wirklich gratulieren!«

Der Wachtmeister stieg die Treppe hoch. Tante Martha führte ihn in die Stube. Die Großmutter erwachte, setzte sich auf und war neugierig. Emil und Hütchen standen am Tisch und waren gespannt.

15 »Die Sache ist die«, sagte der Wachtmeister und schloss die Mappe auf. »Der Dieb, den der Realschüler Emil Tischbein heute früh geschnappt hat, ist ein seit vier Wochen gesuchter Krimineller aus Hannover. Er hat eine große Menge Geld gestohlen. Er hat auch

20 schon alles *eingestanden*. Das meiste Geld hat man wiedergefunden. Lauter Tausendmarkscheine. Die Bank hat nun vor vierzehn Tagen eine Prämie ausgesetzt, und weil du den Mann gefangen hast, kriegst du die Prämie. Der Herr Kriminalkommissar lässt dich grüßen

25 und freut sich, dass auf diese Weise deine *Tüchtigkeit* belohnt wird.«

Emil dankte.

Dann nahm der Polizist eine Menge Geldscheine aus seiner Mappe, zählte sie auf den Tisch, und Tante

30 Martha, die genau aufpasste, flüsterte, als er fertig war:

eingestehen, zugeben
die Tüchtigkeit, das Können

»Tausend Mark!«

»Donnerwetter!«, rief Pony Hütchen.

Großmutter unterschrieb eine Quittung. Dann ging der Wachtmeister.

Emil hatte sich neben die Großmutter gesetzt und 5
konnte kein Wort sagen. Die alte Frau sagte kopfschüttelnd: »Es ist doch kaum zu glauben. Es ist doch kaum zu glauben.«

Pony Hütchen stieg auf einen Stuhl und sang: »Nun laden wir, nun laden wir die andern Jungens zum Kaf- 10
fee ein!«

»Ja«, sagte Emil, »das auch. Aber vor allem ... eigentlich könnte doch nun ... was denkt ihr ... Mutter auch nach Berlin kommen ...«

_____ Frau Tischbein ist so aufgeregt_____

Am nächsten Morgen klingelte Frau Bäckermeister
Wirth in Neustadt an der Tür von Frau Friseuse Tischbein.

»Tag, Frau Tischbein«, sagte sie dann. »Wie geht's?«

5 »Morgen, frau Wirth. Ich bin so in Sorge! Mein Junge hat noch nicht geschrieben. Soll ich Sie frisieren?«

»Nein, ich wollte Ihnen nur etwas _ausrichten._«

»Bitte schön«, sagte die Friseuse.

»Viele Grüße von Emil und ...«

10 »Um Himmels willen! Was ist ihm passiert? Wo ist
er? Was wissen Sie?«, rief Frau Tischbein. Sie war
furchtbar aufgeregt.

»Aber es geht ihm doch gut, meine Liebe. Sehr gut
sogar. Er hat einen Dieb _erwischt._ Und die Polizei hat
15 ihm eine Belohnung von tausend Mark geschickt. Und
da sollen Sie mit dem Mittagszug nach Berlin kommen.«

»Aber woher wissen Sie denn das alles?«

»Ihre Schwester, Frau Heimbold, hat eben aus Ber-
20 lin bei mir im Geschäft angerufen. Und Sie sollen
doch ja kommen!«

»So, so ... Ja freilich«, murmelte Frau Tischbein ver-
wirrt. »Tausend Mark? Weil er einen Dieb erwischt
hat? Nichts als Dummheiten macht er!«

25 »Also, werden Sie fahren?«

»Natürlich! Ich habe keinen Augenblick Ruhe, bis
ich den Jungen gesehen habe.«

ausrichten, erzählen
erwischen, fangen

»Also, gute Reise. Und viel Vergnügen!«

»Danke schön, Frau Wirth«, sagte die Friseuse.

Als sie nachmittags im Berliner Zug saß, erlebte sie eine noch größere Überraschung. Ihr gegenüber las ein Herr Zeitung. Frau Tischbein blickte nervös von einer Ecke in die andere, zählte die Telegrafenmasten und wäre am liebsten hinter den Zug gerannt, um zu schieben. Es ging ihr zu langsam.

Da fiel ihr Blick auf die Zeitung gegenüber. »Donnerwetter!« rief sie und riss dem Herrn das Blatt aus der Hand. Der Herr dachte, die Frau sei plötzlich verrückt geworden und kriegte Angst.

»Da! Da!«, stammelte sie. »Das hier ... das ist mein Junge!« Und sie stieß mit dem Finger nach einer Fotografie, die auf der ersten Zeitungsseite zu sehen war. »Was Sie nicht sagen!«, meinte der Mann erfreut. »Sie sind die Mutter von Emil Tischbein? Das ist ja ein Prachtkerl!«

»So, so«, sagte die Friseuse. Und dann begann sie den Artikel zu lesen. Darüber stand in Großbuchstaben:

Ein kleiner Junge als Detektiv!
Hundert Berliner Kinder auf
der Verbrecherjagd

Und dann folgte ein spannender Bericht über Emils Erlebnisse vom Bahnhof in Neustadt bis ins Berliner Polizeipräsidium. Frau Tischbein wurde richtig blass. Der Herr konnte es kaum erwarten, dass sie den Artikel zu Ende las. Doch der Artikel war lang und füllte fast die ganze erste Seite aus. Und mittendrin saß Emils Bild.

»Sieht er genau so aus, wie auf dem Bild?«, fragte der Herr.

Frau Tischbein betrachtete das Foto wieder und sagte: »Ja. Genau so. Gefällt er Ihnen?«

5 »Großartig!«, rief der Mann. »So ein richtiger Kerl, aus dem später mal was werden wird.«

Dann stieg der Herr aus. Sie durfte die Zeitung behalten und las Emils Erlebnisse bis Berlin-Friedrichstraße immer wieder. Insgesamt elfmal.

10 Als sie in Berlin ankam, stand Emil schon auf dem Bahnsteig. Er hatte den guten Anzug an, fiel ihr um den Hals und rief: »Na, was sagst du nun?«

»Sei nur nicht so *eingebildet*!«

»Ach, Frau Tischbein«, sagte er, »ich freue mich ja
15 so, dass du hier bist.«

»Besser ist dein Anzug bei der Verbrecherjagd auch nicht geworden«, meinte die Mutter. Aber es klang nicht böse.

»Ein Kaufhaus will mir und dem Professor und
20 Gustav neue Anzüge schenken und in den Zeitungen annoncieren, dass wir Detektive nur bei ihnen neue Anzüge kaufen. Das ist Reklame, verstehst du? Aber wir werden wahrscheinlich *ablehnen*. Denn weißt du, wir finden den *Rummel*, den man um uns macht, reich-
25 lich albern. Die Erwachsenen können so was, aber Kinder sollten es lieber lassen.«

»Bravo!«, sagte die Mutter.

»Das Geld hat Onkel Heimbold eingeschlossen. Tausend Mark. Vor allen Dingen kaufen wir dir einen

---

eingebildet, sehr stolz
ablehnen, nein sagen
der Rummel, der Lärm

elektrischen Haartrockner. Und einen Wintermantel, innen mit Pelz gefüttert. Und mir? Vielleicht einen Fußball. Oder einen Fotografieapparat.«

»Ich dachte schon, wir sollten das Geld lieber zur Bank bringen.«

»Nein, du kriegst den Trockenapparat und den warmen Mantel. Was übrigbleibt, können wir ja wegbringen, wenn du willst.«

»Wir sprechen noch darüber«, sagte die Mutter und drückte seinen Arm.

»Weißt du schon, dass in allen Zeitungen Fotos von mir sind? Und lange Artikel über mich?«

»Einen hab ich schon im Zug gelesen. Ich war erst sehr unruhig, Emil! Ist dir nichts geschehen?«

»Keine Spur. Es war wunderbar! Na, ich erzähle dir alles noch ganz genau. Erst musst du aber meine Freunde begrüßen.«

»Wo sind die denn?«

»In der Schumannstraße. Bei Tante Martha. Sie hat gleich Apfelkuchen gebacken. Wir haben sie alle eingeladen.«

Bei Heimbolds war wirklich was los. Alle waren sie da: Gustav, der Professor, Krummbiegel, die Gebrüder Mittenzwey, Gerold, Friedrich der Erste, Traugott, der kleine Dienstag, und wie sie alle hießen.

Pony Hütchen rannte mit einer großen Kanne von einem zum andern und schenkte heiße Schokolade ein. Die Großmutter saß auf dem Sofa, lachte und schien zehn Jahre jünger.

Als Emil mit seiner Mutter kam, gab's eine große Begrüßung. Jeder Junge gab Frau Tischbein die Hand. Und sie bedankte sich bei allen, dass sie ihrem Emil so geholfen hatten.

»Also!«, sagte der dann, »die Anzüge, die nehmen wir nicht. Wir lassen mit uns keine Reklame machen. Einverstanden?«

»Einverstanden!«, rief Gustav und hupte.

5   Dann klopfte die Großmutter mit dem Löffel an ihre goldne Tasse, stand auf und sagte: »Nun hört mal gut zu. Ich will nämlich eine Rede halten. Also bildet euch

bloß nichts ein. Ich lobe euch nicht. Die andern haben euch schon ganz verrückt gemacht. Hinter einem Dieb herschleichen und ihn mit hundert Jungen einfangen - na, das ist keine große Kunst. Aber es sitzt einer unter euch, der wäre auch gerne *hinter* Herrn Grundeis *herge-* 5
stiegen. Aber er blieb zu Hause, weil er das einmal *über-*
nommen hatte. Jawohl.«

Alle blickten nach dem kleinen Dienstag. Der hatte einen ganz roten Kopf.

»Ganz recht. Den kleinen Dienstag meine ich, ganz 10
recht!«, sagte die Großmutter. »Er hat zwei Tage am
Telefon gesessen. Er hat gewusst, was zu tun war. Und
er hat es getan, obwohl es ihm nicht gefiel. Das war
großartig, verstanden? Nehmt euch an ihm ein Bei-
spiel. Und nun wollen wir alle aufstehen und rufen: 15
Der kleine Dienstag, er lebe hoch!«

Die Jungen sprangen auf. Pony Hütchen hielt die
Hände wie eine Trompete vor den Mund. Und alle riefen: Er lebe hoch! Hoch! Hoch!

Dann setzten sie sich wieder. Und der kleine Diens- 20
tag sagte: »Danke schön. Ihr hättet das auch getan.
Klar! Ein richtiger Junge tut, was er soll. Basta!«

Pony Hütchen rief: »Wer will noch was zu trinken?«

hinter jemanden hersteigen, hinter jemanden hergehen
übernehmen, etwas zu tun versprechen

Lässt sich daraus was lernen?

Gegen Abend verabschiedeten sich die Jungen. Und Emil musste ganz bestimmt versprechen, am nächsten Nachmittag mit Pony Hütchen zum Professor zu kommen. Dann kam Onkel Heimbold, und es wurde gegessen. Hinterher gab er der Schwägerin, Frau Tischbein, die tausend Mark und riet ihr, das Geld auf eine Bank zu bringen.

»Nein!«, rief Emil. »Mutter soll sich einen elektrischen Trockenapparat kaufen und einen Mantel, der innen mit Pelz gefüttert ist. Das Geld gehört doch mir. Damit kann ich machen, was ich will!«

»Damit kannst du nicht machen, was du willst«, erklärte Onkel Heimbold. »Was mit dem Geld geschehen soll, das bestimmt deine Mutter.«

Emil stand vom Tisch auf und trat ans Fenster.

»Ach, Heimbold, bist du ein *Dickkopf*«, sagte Pony Hütchen zu ihrem Vater. »Siehst du denn nicht, dass Emil sich so darauf freut, seiner Mutter was zu schenken? Ihr Erwachsenen versteht manchmal kolossal schwer.«

»Natürlich kriegt sie den Trockenapparat und den Mantel«, meinte die Großmutter. »Aber was übrigbleibt, das wird auf die Bank gebracht, nicht wahr, mein Junge?«

»Jawohl«, antwortete Emil. »Bist du einverstanden, Muttchen?«

»Wenn du es so willst, du reicher Mann!«

»Wir gehen gleich morgen früh einkaufen. Pony, du

---

der Dickkopf, jemand, der nichts verstehen will

kommst mit!«, rief Emil zufrieden.

Später ging Onkel Heimbold noch ein Glas Bier trinken. Und dann saßen die Großmutter und die beiden Frauen und Pony Hütchen und Emil in der Stube und sprachen über die vergangenen Tage, die so aufregend gewesen waren. 5

»Nun, vielleicht hat die Geschichte auch ihr Gutes gehabt«, sagte Tante Martha.

»Natürlich«, meinte Emil. »Eine Lehre habe ich bestimmt gelernt: Man soll keinem Menschen *trauen*.« 10

Und seine Mutter sagte: »Ich habe gelernt, dass man Kinder niemals allein verreisen lassen soll.«

»Unsinn!«, brummte die Großmutter. »Alles verkehrt. Alles verkehrt!«

»Du meinst also, aus der Sache lässt sich gar nichts 15 lernen?«, fragte Tante Martha.

»Doch«, behauptete die Großmutter.

»Was denn?«, fragten die anderen wie aus einem Munde.

»Geld soll man immer nur mit der Post schicken,« 20 meinte die Großmutter und *kicherte*.

»Hurra!«, rief Pony Hütchen und ritt auf ihrem Stuhl ins Schlafzimmer.

trauen, hier: glauben
kichern, still vor sich hin lachen

Fragen

1. Was war Emils Mutter?
2. Wen sollte Emil in Berlin besuchen?
3. Warum war Emil ein Musterknabe?
4. Was ist eine Pferdebahn?
5. Wie hieß der Mann, der Emil Schokolade gab?
6. Was machte Emil mit seinem Geld?
7. Was entdeckte Emil, als er aufwachte?
8. Warum stieg Emil an der falschen Station aus?
9. Wohin ging der Mann mit dem steifen Hut?
10. Was geschieht vor dem Café Josty?
11. Wie verteilen die Detektive die Arbeit?
12. Was schrieb Emil an seine Großmutter?
13. Wie verfolgen die Jungen den Dieb?
14. Was wollte der Dieb in der Bank?
15. Wie konnte Emil beweisen, dass es sein Geld war?
16. Wie bekam Emil sein Geld wieder?
17. Warum bekam Emil eine Prämie von tausend Mark?
18. Was wollte er für seine Mutter kaufen?
19. Was stand über Emil in der Zeitung?

1. Du bist Reporter und schreibst unter der Über-
   schrift von Seite 87 einen Artikel für die
   Zeitung.

2. Beschreibe, was du auf einem Bahnhof sehen
   kannst.

3. Du möchtest eine Reise von deinem Heimatort
   nach Berlin machen. Wie kommst du dorthin?

4. Du möchtest im Hotel übernachten. Wie fragst
   du an der Rezeption?

5. Setze die fehlenden Wörter ein. Die Anfangs-
   buchstaben ergeben ein Wort.
   a) - - fährst nach Berlin.
   b) Nach dem - - - - - liefen Emil und Hütchen
      ein bisschen auf die Straße.
   c) Die Blumen für die - - - - - sind in Papier
      eingewickelt.
   d) Herr Grundeis hatte es sich in einer - - - -
      gemütlich gemacht und schlief.
   e) Die - - - - zitterten ihm.
   f) Er griff sich langsam in die rechte
      innere - - - - - -.
   g) - - Berlin konnte er nicht bleiben.
   h) - - - - Millionen Menschen lebten in Berlin.

1. Bilde den Plural:

   der Stuhl
   das Glas
   das Rad
   der Zug
   der Bahnhof
   die Hupe
   die Mütze
   das Brötchen
   der Pfennig
   das Gesicht

2. Bilde das Präteritum:

   hängen - legen - machen - finden - geschehen -
   kommen - winken - fliegen - sprechen - gefallen
   - fragen - rennen - tun - verschwinden - legen -
   halten - denken

   Setze die Verben in die 2. Person Sing.

3. Vervollständige den Lückentext:

   »D - - Sache - - - d - -«, sag - - d - - Wacht-
   meister und schloss d - - Mappe auf. »D - -
   Dieb, d - - d - - Realschüler Emil Tischbein
   heute früh geschnappt hat, - - - e - - seit vier
   Wochen gesucht - - Krimineller aus Hannover.
   Er - - - eine groß - Menge Geld gestohlen.«

   www.easyreaders.eu

EASY READERS *Dänemark*
ERNST KLETT SPRACHEN *Deutschland*
ARCOBALENO *Spanien*
LIBER *Schweden*
EMC CORP. *USA*
PRACTICUM EDUCATIEF BV. *Holland*
EUROPEAN SCHOOLBOOKS PUBLISHING LTD. *England*
WYDAWNICTWO LEKTORKLETT *Polen*
KLETT KIADO KFT. *Ungarn*
NÜANS PUBLISHING *Türkei*
ALLECTO LTD. *Estland*

Ein Verzeichnis aller bisher erschienenen EASY READERS
in deutscher Sprache finden Sie auf der vorletzten
Umschlagseite.
Diese Ausgabe ist gekürzt und vereinfacht und ist damit für
den Deutschlernenden leicht zu lesen.
Die Wortwahl und der Satzbau richten sich - mit wenigen
Ausnahmen - nach der Häufigkeit der Anwendung und
dem Gebrauchswert für den Leser.
Weniger gebräuchliche oder schwer zugängliche Wörter
werden durch Zeichnungen oder Fußnoten in leicht
verständlichem Deutsch erklärt.
EASY READERS sind unentbehrlich für Schule
und Selbststudium.
EASY READERS sind auch auf Französisch, Englisch, Spanisch,
Italienisch und Russisch vorhanden.

EASY READERS BISHER ERSCHIENEN: